Pouca coisa acontece em nosso ritmo e está sob nosso controle. Essa realidade frequentemente nos leva às salas de espera da vida. Lisânias Moura nos conduz à compreensão de que esses momentos fazem parte de nossa caminhada com Deus, o que permite que entendamos os propósitos que o Senhor tem para nossa vida. Este livro certamente é uma reflexão importante na era do instantâneo e da impaciência.

ANALICE FERNANDES
Deputada estadual em São Paulo (SP)

Ao ler este livro de Lisânias Moura, fui levado à minha verdadeira história pela cativante narrativa, que mescla histórias bíblicas e relatos atuais. A leitura trouxe-me consolo e respostas sobre temas tão complexos como soberania de Deus *versus* responsabilidade humana e bondade de Deus *versus* grandes aflições da vida. Ao percorrer as páginas a seguir, fui inspirado a participar da história maior, que foi escrita com o sangue do Cordeiro de Deus! Este é um excelente livro para o crescimento espiritual!

ANTONIO SÁVIO BARROS SIMÕES
Pastor sênior da Igreja Presbiteriana das Graças,
em Recife (PE), e professor

O escritor cristão C. S. Lewis disse que o sofrimento é o megafone de Deus. Num tempo em que a cultura predominante é a do "alívio imediato", será que não desprezamos a voz divina em nossa vida ao procurar um escape da "sala de espera" antes de escutar o Senhor e de aprofundar nosso relacionamento com ele? Leia este livro, vale a pena.

FELIPE AFLALO
Arquiteto, diretor proprietário da empresa Aflalo & Gasparini Arquitetos Associados, São Paulo

A capacidade de esperar diferencia infantilidade de maturidade. Crianças, via de regra, não sabem esperar. Neste livro, o pastor Lisânias Moura nos ensina que Deus não é mero espectador desinteressado dos assuntos dos homens. Tudo está diante dos olhos e debaixo das mãos de um Deus gracioso e soberano. Não poucas vezes, o Senhor nos leva para a "sala de espera", pois é exatamente ali que nosso caráter e nossa fé são fortalecidos.

GILDÁSIO JESUS BARBOSA DOS REIS
Ministro da Igreja Presbiteriana do Brasil, escritor, conferencista
e capelão na Universidade Presbiteriana Mackenzie

Consolador! Entusiasmante! Foi um bálsamo para minha alma a leitura deste livro, que faz uma exposição bíblica, profunda, contemporânea e prática do livro de Habacuque. Esta obra oferece palavras de graça e esperança para corações que passam dias de dor e perplexidade. Recomendo com alegria! Parabéns ao autor!

JEREMIAS PEREIRA DA SILVA
Escritor, conferencista e pastor da Oitava Igreja Presbiteriana de
Belo Horizonte (MG)

Este livro nos ajuda a compreender a soberania amorosa de Deus, por meio de histórias reais, à luz do livro de Habacuque. O texto tem a capacidade de enriquecer sobremaneira nossa visão a respeito da ação de Deus diante das turbulências da vida. Ele também nos ajuda a conhecer mais de nosso Senhor e nos dá instrumentos preciosos para vencer os sofrimentos que nos afligem. Recomendo fortemente a leitura deste livro, com a convicção de que as verdades que ele contém farão diferença na vida dos leitores que amam a Deus.

MAURICIO GATTAZ
Médico clínico e professor na Universidade de São Paulo (USP)

Lisânias Moura tem um estilo único e tocante. Quando ouvimos suas mensagens ou lemos seus textos é como se pudéssemos ver Deus tanger as cordas tensas da nossa alma no ritmo do texto bíblico, produzindo uma melodia que se harmoniza com as tensões de sua própria alma. Este livro é um exemplo notável desse estilo peculiar. Os testemunhos que relata, aplicados com profundidade escriturística, levam nossa própria alma a ser tocada pelo Onipotente.

PASCHOAL PIRAGINE
Teólogo, escritor, conferencista e pastor da
Primeira Igreja Batista de Curitiba (PR)

Com experiência pastoral profunda e transparência pessoal incomum, Lisânias Moura compartilha conselhos sábios do livro bíblico de Habacuque para ajudar todos os que estamos na sala de espera de Deus. Ainda que não o vejamos, o Senhor está conosco para prover satisfação, sossego, paz e esperança.

ROY B. COOPER,
Global Mobilization, International Mission Board

Este é um livro instigante, profundo e atual, redigido num estilo que torna a leitura muito agradável. Tenho certeza de que será grande bênção! Tratar de um assunto como a soberania de Deus é para poucos e, por isso, parabenizo o autor. Este é um livro de confronto, ousado e contemporâneo. Descubra como descansar na soberania de Deus em meio às lutas do dia a dia. Você não será o mesmo depois de ler esta obra até o fim.

VAZ DE LIMA
Ministro da Igreja Presbiteriana Independente do Brasil e
ex-presidente da Assembleia Legislativa do Estado de São Paulo

A SALA DE ESPERA DE DEUS

O caminho do desespero para a esperança

LISÂNIAS MOURA

Copyright © 2019 por Lisânias Moura
Publicado por Editora Mundo Cristão

Os textos das referências bíblicas foram extraídos da *Nova Versão Transformadora* (NVT), da Editora Mundo Cristão, salvo indicação específica. Usado com permissão da Tyndale House Publishers, Inc. Eventuais destaques nos textos bíblicos e citações em geral referem-se a grifos do autor.

Todos os direitos reservados e protegidos pela Lei 9.610, de 19/02/1998.

É expressamente proibida a reprodução total ou parcial deste livro, por quaisquer meios (eletrônicos, mecânicos, fotográficos, gravação e outros), sem prévia autorização, por escrito, da editora.

CIP-Brasil. Catalogação na publicação
Sindicato Nacional dos Editores de Livros, RJ

M887s

   Moura, Lisânias
   A sala de espera de Deus : o caminho do desespero para a esperança / Lisânias Moura. - 1. ed. - São Paulo : Mundo Cristão, 2019.
   128 p.

   ISBN 978-85-433-0456-4

   1. Esperança - Aspectos religiosos - Cristianismo. 2. Sofrimento - Meditação. 3. Fé. I. Título.

19-57578
                CDD: 234.2
                CDU: 27-423.79

Edição
Maurício Zágari

Revisão
Natália Custódio

Produção e diagramação
Felipe Marques

Colaboração
Ana Paz

Publicado no Brasil com todos os direitos reservados por:

Editora Mundo Cristão
Rua Antônio Carlos Tacconi, 69
São Paulo, SP, Brasil
CEP 04810-020
Telefone: (11) 2127-4147
www.mundocristao.com.br

Categoria: Inspiração
1ª edição: agosto de 2019 | 4ª reimpressão: 2024

A Teca, minha fiel companheira nas salas de espera da vida. A Deus, por ter-me dado Teca como esposa.

Sumário

Agradecimentos	11
Prefácio	13
Introdução — No caminho da sala de espera	15
1. Na sala de espera com um Deus silencioso	22
2. Na sala de espera com um Deus soberano	45
3. Solitários, mas com Deus na sala de espera	63
4. O mundo fora da sala de espera	82
5. Alegres em Deus na sala de espera	96
Conclusão	114
Notas	122
Referências bibliográficas	125
Sobre o autor	127

Agradecimentos

À minha amada igreja, a Igreja Batista do Morumbi. Nos 26 anos de caminhada juntos, seu carinho e o acolhimento a mim e à minha família têm sido uma fonte de encorajamento para nossos momentos em salas de espera.

Aos meus dois filhos, Daniel e Rafael, que fazem parte singular das nossas salas de espera, de forma amorosa, paciente e significativa.

A cada família da nossa igreja, que tem repartido conosco seus dilemas, suas dores e alegrias. Somos encorajados e aprendemos junto com vocês a confiar em Deus nos longos tempos de silêncio e espera.

Ao Maurício Zágari, editor da Editora Mundo Cristão. Obrigado por estar junto, me encorajando, dando *feedbacks*, melhorando os textos do começo ao fim de cada projeto e me ajudando a crescer e escrever melhor.

Prefácio

Foi na sala de espera de um hospital, acompanhando minha esposa em um exame médico, que uma menina de 5 anos me chamou de "vovô". Ela me pegou de surpresa: eu tinha 49 anos e três filhos adolescentes. Hoje, perto dos 70 anos e avô de dois netos, sei que aquela cena congelou uma obviedade: idade é relativa.

Vivi duas contradições naquele período: a menina achar que eu tinha cara de avô e minha esposa falecer de câncer no ano seguinte, aos 46 anos. Para mim, foram contradições porque eu não me enxergava avô nem imaginava perder minha esposa tão cedo. As salas de espera — e nossa vida é cheia delas — são espaços que colocam em xeque nossas expectativas e crenças. São locais de surpresas, tanto boas quanto más.

Conheci Lisânias no seminário. Frequentamos as mesmas classes e estudamos com os mesmos professores. Como presbiterianos de origem, havíamos crescido à sombra da doutrina da soberania de Deus. As aulas no seminário só confirmaram nossa fé naquele a quem Jó declarou: "Sei que podes fazer todas as coisas, e ninguém pode frustrar teus planos" (Jó 42.2). Quase três décadas mais tarde, nossos caminhos de serviço no reino de Deus se encontraram na equipe pastoral da Igreja Batista do Morumbi. Ali, partilhamos alegrias e fardos do pastorado. Às vezes nos encontrávamos na mesma "sala de espera". Ora era ele, ora eu quem estava em busca de entender "até quando" e "por quê".

Neste livro, Lisânias propõe uma leitura expositiva de Habacuque, ilustrada por casos de pessoas reais que viveram, nos dias atuais, situações concretas de crise e perplexidade. Gente cuja fé no Deus soberano esteve à beira de ruir ou precisou de um novo alicerce.

Em tempos em que se vende felicidade barata em nome de Deus, é refrescante encontrar ensino que nos ajude a descobrir quais crenças precisam ser desmontadas e quais devem ser edificadas em nosso espírito. Que o autor é comprovadamente douto nesse mister atestam longos anos de mensagens e aconselhamentos, que são o amálgama de ensino bíblico e exemplos genuínos da sua vida pessoal.

Lisânias tem profunda compreensão da fragilidade da alma humana e é capaz de falar a ela com compaixão e autoridade bíblica. O resultado? Gente que aprendeu a viver com esperança e na dependência da graça de Deus. Se você estiver agora em uma "sala de espera", ou um dia entrar em uma, oro que lá encontre lugares mais altos no seu relacionamento com Deus.

A leitura deste livro lhe dará coragem para continuar e servir de guia a esse encontro.

PAULO MOREIRA FILHO
Teólogo, pastor, conferencista e mentor de pastores

INTRODUÇÃO
No caminho da sala de espera

Uma sala de espera pode tornar-se um dos lugares mais solitários do mundo, apesar de, nelas, estarmos cercados por muitas pessoas. Pode ser a sala de espera de um hospital, a de uma empresa aonde fomos para uma entrevista de trabalho, ou mesmo a de um restaurante. Não importa o tipo, fato é que estar em uma sala de espera nos deixa desconfortáveis, já que esperar não é agradável. O tempo que levamos em uma sala de espera pode ser curto ou longo, triste ou alegre, cheio de ansiedade ou sereno... seja como for, nem sempre experimentamos virtudes como paciência, paz, sabedoria e confiança enquanto somos obrigados a aguardar por algo que almejamos.

Surge, então, a pergunta: como sobreviver em uma sala de espera?

Pedro e Dora viram o filho dar entrada em um hospital após sofrer uma grave convulsão. João Carlos criou um aplicativo junto com dois colegas, mas foi traído por um investidor supostamente cristão, que se apossou de sua ideia. Joás e Celina esperaram mais de cinco anos para se casar, guardaram-se sexualmente um para outro e, depois de três anos de matrimônio, ele a deixou para viver uma relação homoafetiva. Joubert sofreu um acidente de carro quando se dirigia ao seminário teológico, onde estudaria para dedicar-se a pregar o evangelho no campo missionário.

Pedro, Dora, João Carlos, Joás, Celina e Joubert viveram algo em comum: em todas essas circunstâncias, foram

16 A SALA DE ESPERA DE DEUS

encorajados a orar e ouviram de vários amigos coisas como: "Deus tem um plano maravilhoso para a sua vida"; "Não desanimem, apenas orem e confiem, pois Deus é soberano" e "Deus escreve certo por linhas tortas". Como entender que o Senhor muitas vezes nos deixa numa longa espera, em uma sala fria, solitária e na qual parece que o tempo parou? Será que Deus é realmente soberano e tem o controle de todos os acontecimentos? Será que Deus é realmente bom?

Os relatos que menciono neste livro são reais, fatos que ouvi no gabinete pastoral, embora os nomes tenham sido alterados. Mas não conheço a sala de espera de Deus apenas de ouvir falar. Já experimentei os calafrios que muitas vezes ela provoca, como quando, no quinto mês de gravidez do nosso segundo filho, o ginecologista avisou a mim e à minha esposa, Teca, que provavelmente nosso bebê morreria durante o parto. Pior: nas palavras do médico, "ambos podem morrer durante o procedimento". Foram, inicialmente, cinco meses em uma sala de espera sombria, enfrentando algo para o qual não estávamos preparados.

> A pergunta é: como sobreviver na sala de espera quando as notícias não são nada boas? Como esperar uma resposta de Deus quando oramos e parece que estamos falando com alguém surdo?

A pergunta é: como sobreviver na sala de espera quando as notícias não são nada boas? Como esperar uma resposta de Deus quando oramos e parece que estamos falando com alguém surdo? Ou como viver numa sala de espera quando escutamos a todo tempo: "Orem e tudo dará certo"... mas o "certo" nunca acontece? Onde está Deus em meio a tudo isso?

Enquanto estamos na sala de espera, parece que o relógio não funciona, a porta não abre e as pessoas ao redor não entendem nossa dor. Muitas vezes, quem se aproxima até tenta nos encorajar, mas suas palavras revelam apenas chavões que não geram fé, como "Vai dar tudo certo", "Deus está no controle" ou "Deus sabe todas as coisas". Sim, sabemos que muitas vezes as coisas darão certo, que o Senhor está no controle de tudo e que ele é onisciente. Mas como e quanto esperar até que aquilo que vivemos na sala de espera venha a fazer algum sentido?

O profeta Habacuque[1] viveu uma experiência marcante em uma sala de espera. Sob o governo do rei Josias, ele viu o reino de Judá prosperar, um pequeno avivamento acontecer e, por fim, o colapso da nação ocorrer. Josias realizou reformas espirituais, sociais e políticas, desencadeou um avivamento temporário na nação e ficou conhecido como um grande reformador. Jeoacaz, filho de Josias, assumiu o trono e andou completamente fora dos caminhos do Senhor, seguindo a trilha de pecados de seus antepassados. E isso estava assolando a alma de Habacuque.

No texto do livro que carrega seu nome, Habacuque expressa sua angústia. Como habitante de uma nação que deveria ser um sinal da presença de Deus para o mundo, o profeta se angustiava por ver o povo se afastar cada dia mais do Senhor. Por isso, a religião encapada com imoralidade e corrupção veio a transformar-se na cultura do seu povo. Com o tempo, tornou-se concreto e duramente visível o esfriamento espiritual da população de Judá, que trocou o Deus da aliança pelos falsos deuses dos povos vizinhos.

Violência, enfraquecimento da justiça, impunidade dos líderes e o triunfo do ímpio sobre quem desejava agradar a Deus compunham o retrato da nação para a qual Habacuque deveria profetizar em nome de Deus. Mas a dor ao ver esse

18 A SALA DE ESPERA DE DEUS

cenário fez o profeta inverter a comunicação. Ele passou a ser um interlocutor de Deus e não tanto um porta-voz do Senhor para seu povo.

Nesse processo de falar com Deus sobre si mesmo e sobre o que ele via, o profeta ansiava por respostas e por melhorias na vida da nação do pacto. Mas, ao contrário de suas expectativas, viu apenas o desmoronamento de Judá. Na tentativa de lidar com esse cenário, Habacuque dirigiu a Deus perguntas do mais profundo de sua alma, mas Deus parecia não ouvi-lo.

No entanto, o fato de Habacuque ter falado mais do povo a Deus do que de Deus ao povo não diminui a importância da mensagem do profeta. Nem, tampouco, põe em dúvida a inspiração de seu livro. A verdade é que ele traduz para hoje alguns dos mais profundos anseios do ser humano, entre os quais o de entender Deus quando os caminhos divinos não fazem sentido para a mente humana. É por isso que o livro de Habacuque é tão crucial para nossos dias. Escrito há mais de 25 séculos, ele contém a revelação de Deus que nos sustenta e nos faz rumar do desespero à esperança.

Pessoas, famílias e igrejas muitas vezes se encontram no meio de um caos inesperado. Pode ser o caos, por exemplo, de um divórcio, uma doença incurável, uma carreira abruptamente destruída, uma falência financeira ou uma divisão na congregação. Orar é a primeira sugestão de ação. Mas, muitas vezes, a oração parece não chegar a Deus, e esperar nele torna-se uma experiência delicada. Há ocasiões em que as respostas divinas não fazem nenhum sentido. Frequentemente, parece que Deus nos coloca numa sala de espera solitária, dolorida e escura, cujas paredes são decoradas com perguntas sem respostas.

A verdade é que sentar na sala de espera é uma experiência que pode gerar um coração duro ou cheio de fé. Nela encontramos um Deus que nunca encontraríamos numa sala repleta de luzes, pessoas agradáveis e muita festa. Ao aplicar os escritos do profeta Habacuque à cultura de hoje, descobrimos que Deus se relaciona pessoalmente com seus filhos e os leva do desespero à esperança, mesmo quando a estada na sala de espera parece insana ou demorada. Invadido por agonia e medo, o profeta se recolhe a uma torre, uma sala de espera, e nos desafia a fazer o mesmo crentes de que Deus está conosco, mesmo no longo passar das horas. Vemos que não só é possível encontrar Deus no meio do desespero como ele jamais nos abandona nesses momentos. Embora ele possa parecer silencioso, na realidade está sempre ativo, pois o Deus de Israel não dorme. Habacuque viveu ali sem se desesperar, tendo de lidar com perguntas sem respostas aparentes, e com sobriedade, apesar da solidão e dos muitos temores.

> **Vemos que não só é possível encontrar Deus no meio do desespero como ele jamais nos abandona nesses momentos.**

Habacuque, Pedro, Dora, João Carlos, Joás, Celina, Joubert, eu e você temos algo em comum: todos fazemos perguntas quando temos de lidar com quedas e quando vislumbramos caminhos que às vezes parecem pedregosos e difíceis. Como sobreviver num mundo que vai de mal a pior, onde o mal parece vencer o bem, o corrupto e o injusto riem de Deus e o Senhor parece silencioso?

Nos meses entre a conversa com o ginecologista e o dia em que nosso filho nasceu, eu e minha esposa olhamos muitas vezes para o relógio da sala de espera com medo do movimento dos ponteiros. Afinal, cada hora percorrida nos aproximava do momento em que saberíamos se o predito pelo médico se cumpriria ou não. Ora tínhamos confiança, ora éramos

20 A SALA DE ESPERA DE DEUS

tomados pela ansiedade. E se o bebê morresse? Dentro de minha alma havia ainda outra pergunta, que eu evitava expor em voz alta: "E se minha esposa morrer?". E sempre éramos confrontados pela pergunta: "O que queremos de fato? Alívio ou a glória de Deus?".

Houve um tempo na história da humanidade em que se pensou que as coisas melhorariam. O progresso da ciência e as relações internacionais pareciam melhorar. As grandes descobertas tecnológicas propunham um estilo de vida mais saudável, seguro e produtivo. O uso proposto de computadores e *smartphones* aparentemente prometia uma vida com menos estresse e menos horas trabalhadas, visando ao benefício do ser humano e à multiplicação do tempo para a convivência familiar e o lazer. Mas o quadro se revelou bem diferente do cenário sonhado, com famílias desfeitas, aumento da solidão, do individualismo e da violência, e a proliferação da desesperança, da ansiedade e do desespero. A humanidade segue cambaleando entre a esperança e o horror. Ansiamos por respostas e caminhos que possam nos levar da ansiedade à paz, do medo à segurança, do desespero à esperança.

Seria possível para Pedro, Dora, João Carlos, Joás, Celina, Joubert, para mim e você viver de forma sadia em um mundo marcado por tantos males? Seria possível ver as coisas piorarem no mundo e, às vezes, em nossa vida e mesmo assim não perder o foco em Deus, continuar a crer que ele é bom e não mudar nossa teologia para um triunfalismo que foge de dores e insucessos porque não queremos sofrer?

Neste livro, desejo apresentar a mensagem de Habacuque para dizer que existe esperança nas salas de espera da vida. Olhar para Deus no meio do desespero foi o que fez o profeta dizer no fim do livro: "O Senhor Soberano é a minha força! Ele torna meus pés firmes como os da corça, para que eu possa andar em lugares altos" (Hc 3.19). Mas como ele viveu entre o momento em que disse "Até quando, SENHOR, terei de pedir socorro? Tu, porém, não ouves" (1.2) e o instante em que afirmou "mesmo assim me alegrarei no SENHOR; exultarei no Deus de minha salvação!" (3.18)?

Habacuque descobriu que, nas salas de espera da vida, onde habitam o medo e a ansiedade, Deus, e somente Deus, poderia levá-lo do desespero à esperança. O desespero tampouco precisa ser a nossa marca, embora o experimentemos, pois o mesmo Deus que Habacuque ouviu escuta a mim e a você.

Eu o convido a aprender com Habacuque sobre como Deus vem a nós em momentos solitários e como é suficientemente poderoso para mudar nossa história. Meu desejo é que você se encontre com o mesmo Deus que o profeta encontrou, pois o Senhor tem o poder de transformar caos em graça e amor.

E, nessa jornada, não se esqueça: enquanto você está na angústia da sala de espera, Deus não o deixou só. Mesmo que o silêncio seja longo, mesmo que o Senhor pareça ter abandonado você, ele o está conduzindo do desespero à esperança.

1

Na sala de espera com um Deus silencioso

Será que ele responde mesmo nossas orações?

Às cinco e meia da manhã, é normal um bebê estar dormindo. Dora já estava se preparando para levantar, a fim de dar o primeiro *mamá* do dia a Teodoro, quando ela ouviu um barulho estranho vindo do quarto do filho, como se ele estivesse engasgado. Ela correu para ver o que estava acontecendo e encontrou o bebê se contorcendo em convulsões. Dora gritou por Pedro, seu marido, que se levantou às pressas, tirou o bebê do berço e, sem saber o que fazer, simplesmente soltou um clamor: "Deus, tem misericórdia de nós!".

As convulsões duraram cerca de vinte segundos desde que Teodoro foi arrancado do berço, mas, para Pedro e Dora, era como se houvessem se arrastado por horas. O bebê parecia desacordado, e o casal disparou para o hospital. Como pais de primeira viagem, estavam atônitos, inseguros e desesperados. Entre a casa e o hospital, foram cerca de quinze minutos, mas pareceram quinze horas.

Ao entrarem no pronto-socorro, totalmente tomados pela ansiedade, quase gritando, pediram ajuda e uma enfermeira, que tomou o bebê no colo, disse em tom assertivo: "Vão à sala de espera. Daqui a pouco falo com vocês". A sala estava vazia, com cadeiras desarrumadas, como se houvesse sido usada por uma multidão horas antes. O relógio na parede estava com o vidro quebrado. Perto havia uma porta, com os dizeres: *Proibi-da a entrada*. Pedro e Dora sabiam que por aquela porta alguém viria dar-lhes notícias de Teodoro.

Enquanto esperavam, perguntas começaram a se multiplicar na mente dos dois, como: "O que aconteceu?", "Por quê?" e "Vai demorar para ter notícias de nosso filho?". Dora relembrava a história de Teodoro. Ela tivera problemas para conceber e, depois de quatro anos tentando, finalmente engravidou, certa de que fora um milagre de Deus — afinal, seu ginecologista lhe havia dito: "Só um milagre". Durante a gravidez, o bebê quase morrera, mas toda a igreja orou com o casal e ele sobreviveu.

O tempo passava e nada de a porta se abrir. O silêncio e a solidão da sala de espera pareciam contribuir para o estado de ansiedade do casal, para não dizer de desespero. Os dois oravam, mas Deus parecia distante e silencioso. Eles clamavam, mas parecia que ninguém os ouvia. E agora? Onde estava Deus? E por que aquela porta, com os dizeres *Proibida a entrada*, não se abria com boas notícias a respeito do Teodoro? Parecia a entrada de uma fortaleza, fria, pesada e imóvel. "Até quando teremos de esperar?", Dora perguntava a Pedro.

Habacuque também lidou com uma situação desesperadora, que ele nunca imaginara ter de enfrentar. O profeta sabia que servia ao único Deus e que fazia parte do povo escolhido. Essa condição possivelmente lhe dava a sensação de estar debaixo de proteção, por crer que nada de mal poderia acontecer ao povo dileto de Deus. Mas a situação o surpreendeu. Ao falar de si mesmo, Habacuque não escondeu as insatisfações, a ansiedade e o desespero com o estado da nação e a aparente distância de Deus.

Será que nós mesmos não nos encontramos muitas vezes em situações equivalentes? Somos alcançados pela graça salvadora

24 A SALA DE ESPERA DE DEUS

de Deus, caminhamos com Cristo por anos e, mesmo conhecendo sua pessoa, seu poder e sua graça, somos pegos em situações inimagináveis. Somos atingidos por uma catástrofe e nos sentimos totalmente impotentes e soterrados por dúvidas.

Habacuque expôs seu desespero a Deus. Muitas vezes, nosso desespero é fruto da incapacidade de entender as ações de Deus. Para um judeu, receber castigo divino por meio de um povo idólatra, violento e imoral era algo profundamente humilhante. Ainda mais porque, como profeta, Habacuque conhecia Deuteronômio 28.15-68, em que Deus deixa claro que obediência traz bênçãos e desobediência, disciplina. Ele sabia que o Senhor cumpre o que promete, não apenas as promessas de bênçãos, mas também as disciplinares e por isso experimentou uma sensação de desespero e impotência, agravada pela frieza espiritual de Judá e pela vida imoral dos líderes da nação.

> Muitas vezes, nosso desespero é fruto da incapacidade de entender as ações de Deus.

Com certeza, a invasão babilônica traria o caos para Judá, em diversas áreas. A nação teria a economia profundamente afetada, sua liderança seria humilhada e o povo, levado como escravo. O que Habacuque poderia fazer nessa situação? Embora fosse profeta, também estava sujeito, como nós, a todos temores e inseguranças presentes em situações sobre as quais não temos controle ou que não compreendemos.

A emoção de Habacuque veio à tona e transparece em sua atitude ao se dirigir ao Senhor. A primeira expressão emocional de Habacuque é marcada por sua crença de estar falando com um Deus silencioso, que não ouve nem age em favor de seu servo. Pedro e Dora experimentaram a mesma sensação naquela sala de espera. Eles oravam, conversavam, clamavam, olhavam o relógio e... nada. Deus parecia não ser o mesmo que conheceram anos antes, por meio da fé em Jesus.

Quando Deus fica em silêncio

Habacuque cobra de Deus: "Até quando, Senhor, terei de pedir socorro? Tu, porém, não ouves. Clamo: 'Há violência por toda parte!', mas tu não vens salvar" (1.2). Em outras palavras, era como se o profeta estivesse dizendo: "Senhor, por que estás silencioso?".

É muito difícil quando, sob pressão ou no meio de uma catástrofe, corremos para o Senhor e nos sentimos desconectados dele. A sensação é a de estar diante de um Deus mudo, surdo e distante.

Não foi só Habacuque que experimentou a frieza de uma sala de espera. Hemã, o autor do salmo 88, também passou por momentos semelhantes: "Ó Senhor, Deus de minha salvação, clamo a ti de dia, venho a ti de noite. Agora, ouve minha oração; escuta meu clamor. Pois minha vida está cheia de problemas, e a morte se aproxima" (Sl 88.1-3). Hemã expressa seu lamento em tom desesperador. Perceba como a situação interior dele se assemelha à de Habacuque: "A ti, Senhor, eu clamo; dia após dia, continuarei a suplicar. Ó Senhor, por que me rejeitas? Por que escondes de mim o rosto?" (Sl 88.13-14).

Assim como o profeta de Judá, o salmista enfrentava um momento de dor e uma sensação de abandono, inclusive da parte de Deus. Mas, a exemplo de Habacuque, ele decide não permitir que seus sentimentos o paralisem. Antes, decide agir e corre para Deus. No mais profundo de sua angústia, tanto o profeta como o salmista clamam ao Senhor e derramam o que fervilha em seu peito.

Quando o profeta diz: "Até quando...",[1] pressupõe-se que, havia algum tempo, ele vinha pedindo socorro a Deus para entender a situação, ou mesmo sua intervenção, sem que o Todo-poderoso atendesse ao seu clamor. No texto bíblico, o verbo clamar[2] revela a expectativa de que o Senhor aja e intervenha. Mas, da perspectiva do profeta, Deus estava frio e distante. A questão nem era tanto o silêncio de Deus, mas o fato de que ele parecia inerte. As coisas estavam estagnadas, como o profeta mesmo considerou: "A lei está amortecida, e não se faz justiça nos tribunais" (Hc 1.4).[3]

A ansiedade do profeta se devia ao fato de ele não ver a aplicação da Lei e considerar que Deus, aparentemente, estava acomodado com a situação. A demora do Senhor em agir e as orações não respondidas estão presentes na experiência de muitos que se ajoelham ao lado da cama de um ente querido doente, à espera de uma cura que demora a chegar e, talvez, nem chegue. É a experiência de um seguidor de Jesus desempregado, que acumula boletos vencidos e há muito tempo ora pelo doce som de um telefonema chamando para uma entrevista de trabalho. É também a experiência de um pai que pede pela sanidade de um filho cada vez mais dependente de drogas, sem que Deus aparentemente intervenha.

O fato é que todos nós, queiramos ou não, passamos, estamos passando ou passaremos por dias nos quais Deus parecerá silencioso. Dias de desânimo e demora, que geram ansiedade e, até, desespero. Então, como lidar com esses períodos?

A misericórdia, a graça e o amor fazem parte do caráter de Deus, assim como sua fidelidade. E, justamente por conhecê-lo, não podemos jamais interprétar seu silêncio como inatividade, mas em vez disso descansar e esperar. No tempo de aparente silêncio, Deus intervém em nossa caminhada e nos observa, atento. O fato é que podemos ter uma percepção errada sobre o silêncio de Deus, por não vê-lo agir claramente.

Uma verdade que precisamos ter em mente nos dias, meses ou anos de silêncio de Deus é que, durante esse tempo, o Senhor está transformando nossa vida. O tempo nas salas de espera da vida é um período de transformação interior. O Pai, que nos ama com amor incompreensível, quer nos transformar — e a transformação é necessária e demorada. Deus trabalha no silêncio, porque é no silêncio que aprendemos que o Senhor transforma o desespero em esperança. E mesmo os amigos mais íntimos de Deus não estão isentos de experimentar seu silêncio. Habacuque viveu a experiência de clamar a Deus por um longo tempo, tendo o silêncio como retorno. Mas, sem que ele se desse conta, o Senhor estava lapidando nele um novo coração.

Pedro e Dora olhavam fixamente a porta da sala de espera, na expectativa de que ela se abrisse a qualquer momento com novidades. Porém, nada acontecia, nenhuma notícia chegava. Eles podiam não perceber, mas Deus estava transformando a ansiedade e o desespero deles em uma experiência da graça. O casal não via o que estava acontecendo atrás daquela porta fechada e tomado pela ansiedade e pelo medo, continuava a dizer: "Por quanto tempo, Senhor?" Mas Deus estava lá, agindo em favor de Teodoro.

Não foi somente Habacuque que descobriu Deus no meio do silêncio. Abraão teve de ficar muitos anos na sala de espera de Deus à espera do cumprimento de suas promessas. Assim também ocorreu com José, filho de Jacó. Estima-se que mais de 15 anos se passaram entre o dia em que José teve um sonho que revelava o que o Senhor faria da vida dele e o momento em que assumiu a segunda posição mais importante no Egito. Fato é que Deus não é esquecido nem inativo. Ele poderia ter cumprido seus propósitos na vida de Abraão e José em menos tempo? Claro que sim. Ele é todo-poderoso! Mas *o silêncio de Deus se dá enquanto ele está ativo, agindo em favor de todos a quem ele ama.*

Naquele momento da vida de Habacuque, no entanto, o silêncio de Deus ao seu clamor não parecia fazer nenhum sentido. A percepção humana do profeta era da total ausência de Deus. Mas nossa percepção errônea dos processos de Deus não o faz mudar seus planos nem adiantar seu relógio, simplesmente porque não há razão para isso. O Senhor está sempre ativo, trabalhando para a própria glória e para a realização de seus propósitos, no tempo dele. E, certamente, quando sua vontade se cumpre, nós somos os beneficiados.

Quando Habacuque expressa seus sentimentos a Deus, duas questões ficam claras. Primeiro, o profeta tem uma liberdade muito singular perante o Senhor para dizer o que sente. Entenda: Deus não nos proíbe de sentir o que quer que seja. Não temos como impedir a sensação de desolação e desespero ou mesmo de que Deus está distante de nós. Mas temos como superá-la impedindo que se torne, falsamente, a realidade que nos controla.

Habacuque teve a liberdade de experimentar essas más sensações, mas não se deixou dominar por elas. O profeta compartilhou com Deus o que sentia, e isso é uma tremenda lição para nós: o Senhor não despreza nossas emoções nem se intimida ou se fere quando expressamos os sentimentos. Deus sabia que Habacuque reagiria dessa forma quando encarasse a situação da nação e que também o questionaria sobre isso. No entanto, as perguntas reais, emocionais e lógicas do profeta não o fizeram mudar seus planos. O mesmo ocorre conosco.

Deus não impediu Habacuque de trilhar aquele caminho. Ainda que o profeta desconhecesse os rumos de sua jornada, o Senhor sabia para onde desejava conduzi-lo. Isso foi muito difícil para Habacuque, como também foi para José, para Pedro e Dora e para mim e minha esposa. Por que Deus permite que passemos por momentos delicados quando ele mesmo sabe o sofrimento que enfrentaremos? Será que ele não é Pai? Será que, como Pai, ele não tem todo o poder de nos impedir de sofrer?

É justamente porque Deus é Pai que ele permite que passemos por momentos insanos a nossos olhos. Afinal, quando nos entregamos ao Senhor nesses períodos difíceis, a sala de espera se torna instrumento de aperfeiçoamento da fé. Ele quer sempre o melhor para seus filhos, por isso, como Pai, às vezes nos dá presentes aparentemente incoerentes, mesmo correndo o risco de não ser compreendido.

Podemos questionar Deus, espernear e expressar emoções de forma errada, mas nada disso abala o Senhor nem o faz desistir de nos levar aonde ele quer. Hoje, podemos nos sentir desolados ou desesperados, mas o destino a que Deus quer nos conduzir, mesmo parecendo ele silencioso ou ausente, é muito mais significativo e especial do que aquilo que enxergamos ou cogitamos.

Os pais de Teodoro não podiam atravessar a porta da sala de espera, por mais que desejassem. Os médicos não eram os pais do Teodoro, mas Pedro e Dora não tinham a *expertise* necessária para lidar com a doença do filho — além do que seria uma atitude muito prepotente. Os médicos estudaram para salvar vidas; os pais agiram como pais. Muitas vezes queremos fazer o mesmo em relação a Deus. Nossa ansiedade dá a entender que sabemos resolver as coisas melhor que ele e, por isso, achamos que o Senhor está demorando a resolver ou agir. Mas, muitas vezes, é no silêncio e na demora que Deus prepara algo maravilhoso para nossa vida ou por meio de nossa vida.

Habacuque derramou diante de Deus tudo o que estava sentindo. Lamentou a demora do Senhor e, naturalmente, esperava uma resposta. Mas será que a resposta de Deus foi a que o profeta esperava?

Deus sempre responde do jeito que esperamos?

A oração de Habacuque criava nele a expectativa da resposta de Deus. Quando oramos, também esperamos que o Senhor nos responda livrando-nos daquilo que nos atormenta. A oração sincera e tocante de Habacuque, deixando claro que ele conhecia quem Deus é e como ele agiu no passado, convenceu-o de que a resposta seria rápida. Além do mais, quando oramos por causa de um problema ou porque estamos desesperados, esperamos que o Senhor intervenha de modo sobrenatural, especialmente se nos sentimos impotentes. Nosso imediatismo nos impede de ver a resposta que Deus planeja nos dar a longo prazo.

Habacuque não agiu diferentemente de nós quando travamos lutas da alma e as apresentamos ao Senhor. A frase "Deus é fiel" soa como um mantra quando estamos desesperados e esperamos uma ação divina como imaginamos ou gostaríamos. Dizer "Deus está no controle" é outra forma espiritualizada de fugir de problemas e questões para as quais não temos respostas. Tais afirmações são verdadeiras, mas não são mantras que, uma vez pronunciadas, nos livrarão automaticamente do medo ou nos farão sentir de imediato segurança e paz.

Imagino que, em seu período de seca espiritual, talvez o que Jó mais tenha ansiado foi ouvir de Deus: "Jó, vou curá-lo".

José talvez tenha desejado a rápida intervenção de Deus em sua situação. Tanto Jó quanto José podem ter pensado que, por serem fiéis a Deus, a resposta dele logo lhes traria alívio. Ambos mal sabiam que ainda tinham lições muito preciosas para aprender na sala de espera de Deus. O caminho ainda seria longo até que se tornassem o que o Senhor desejava para eles.

Enquanto esperavam aquela porta da sala de espera ser aberta, Pedro e Dora não faziam ideia do que Deus queria produzir em sua vida. O que eles mais ansiavam era o alívio de ouvir dos médicos que o filho estava bem. De igual modo, Habacuque ansiava por uma intervenção curadora do Senhor para o seu povo e, consequentemente, para ele mesmo. Mas... e se Deus não nos responde como esperamos?

Às vezes, Deus responde nossas orações como esperamos; outras, não. Às vezes, as respostas de Deus são compreensíveis; outras parecem sugerir que ele não entende nossa língua. Mesmo assim, isso não significa que ele seja surdo ou ignore o que falamos. Nada disso. O Senhor apenas quer nos preparar para algo além do que podemos supor, e no tempo dele.

É o que ocorre quando Deus rompe o silêncio e diz a Habacuque que observe o que está acontecendo. Embora Habacuque não tivesse percebido, a resposta já estava sendo preparada havia certo tempo. Independentemente do caos, sempre depararemos com os toques encorajadores da graça, que nos impedem de tropeçar. Pedro e Dora tinham muitas perguntas e inquietações, mas não se davam conta de que, atrás daquela porta, estava uma equipe médica trabalhando em prol de Teodoro. Quando os discípulos sentiram medo durante a famosa tempestade no mar da Galileia, não perceberam que o simples fato de Jesus estar no barco com eles era o sinal máximo de que Deus responderia suas orações. No meio da tempestade do caos, nunca podemos nos esquecer de que Deus permanece conosco.

Entre o final do ministério do profeta Malaquias e o nascimento de Jesus, Deus parecia estar em silêncio, quando na realidade preparava o mundo para a chegada do Messias. Naqueles cerca de 400 anos de silêncio, o mundo ganhou uma língua de alcance mundial (o grego) e isso abriu canais de comunicação para que a boa-nova de Cristo fosse entendida não somente por quem falava hebraico, mas por quase todo o mundo na região da Ásia Menor da época. Além disso, foi nesse período de silêncio que Deus elevou uma nova potência mundial, Roma, responsável por construir estradas que seriam percorridas pelos cristãos perseguidos por propagarem o evangelho pelo mundo. Foi também por meio do império romano que Deus fez instalar a chamada *pax romana*, um ambiente político e militar que favoreceu a propagação da mensagem da cruz. No silêncio, Deus trabalha e cria as circunstâncias necessárias para comunicar maravilhas da sua graça a nós e ao mundo.

> No silêncio, Deus trabalha e cria as circunstâncias necessárias para comunicar maravilhas da sua graça a nós e ao mundo.

Esta foi a resposta de Deus para o profeta: "Observem as nações ao redor; olhem e admirem-se!" (Hc 1.5). Em outras palavras, era como se ele dissesse: "Veja que já estou agindo!". A ação de Deus, segundo as próprias palavras, era digna de admiração. De fato, Deus usa um imperativo. As pessoas de Jerusalém deviam ficar admiradas, isto é, pasmas, perplexas, com o impacto da notícia.

Deus tinha também uma mensagem para o povo, perdido em meio à corrupção e à imoralidade. O Senhor deixou clara sua contrariedade com essa situação, mas o povo, cego pelo pecado, não era capaz de enxergar as ações divinas.

Na mesma mensagem, Deus se dirige a Habacuque e, de forma inesperada, surpreendente, enigmática e chocante, diz: "Estou levantando os babilônios, um povo cruel e violento. Eles marcharão por todo o mundo e conquistarão outras terras" (1.6).[4] Diante disso, o profeta responde: "Ó SENHOR, meu Deus, meu Santo, tu que és eterno certamente não planejas nos exterminar! Ó SENHOR, nossa Rocha, enviaste os babilônios para nos disciplinar, como castigo por nossos pecados" (1.12).

Imagine Habacuque orando, lamentando seu estado emocional e o da nação, pedindo a Deus que interrompesse o silêncio e a resposta que ouve do Senhor é negativamente estonteante para a percepção do profeta. Era como se Habacuque e o povo tivessem pedido pão e Deus lhes desse pedra. Era como se tivessem clamado por livramento e transformação e Deus dissesse: "Vai piorar". Na realidade, a princípio esse foi o sentido da resposta de Deus. Mas, ela também apontava para algo que seria maravilhoso para toda a humanidade.

Você já passou por uma situação semelhante? Já teve alguém doente na família, a quem você amava e por quem intercedeu incansavelmente junto a Deus, mas que acabou morrendo? A porta da sala de espera onde Pedro e Dora estavam finalmente se abriu. A esperada enfermeira saiu pela porta, mas de mãos vazias. Sem Teodoro. Ela disse: "O estado do bebê é delicado. Esperem mais um pouco e o médico virá conversar com vocês".

Lembro bem das horas em que passei na sala de espera, enquanto minha esposa estava na sala de parto. Foram horas de ansiedade, em um silêncio mortal. Apenas eu e Deus. Eu

34 A SALA DE ESPERA DE DEUS

sentia medo, e muitas perguntas me vinham à mente. Especialmente aquela: "E se Deus não responder minhas orações?".

A expressão de Habacuque "tu que és eterno certamente não planejas nos exterminar" pode ser entendida como afirmação ou interrogação. Vista como interrogação, é uma pergunta retórica que necessariamente não espera resposta. Mas Habacuque de fato fazia um questionamento, como se estivesse dizendo: "Como o Senhor, sendo eterno, resolve usar os imorais, violentos, corruptos e rancorosos babilônios contra nós?". Não era ousado demais da parte de Habacuque falar assim com Deus? Não seria falta de uma espiritualidade saudável questionar Deus?

O conceito de eternidade evocado por Habacuque implica ver Deus como aquele que sabe de tudo, tem poder sobre tudo e pode fazer o que desejar. Mas, mesmo sendo o Senhor o que é, seria exigir muito do profeta a aceitação do plano divino de usar os babilônios como instrumento para punir o povo escolhido de Deus. No entanto, depois de ter ouvido a forte e detalhada descrição do caráter violento, idólatra e destruidor dos babilônios, o profeta entendeu que Deus não almejava exterminar seu povo.

É interessante perceber que Habacuque foi, ao mesmo tempo, ousado e respeitoso com Deus. Será que teríamos coragem de falar assim com o Senhor? Havia um tom de decepção com Deus, mas também de confiança. Habacuque podia falar, e o Senhor não desprezava o profeta nem suas palavras.

Uma das coisas mais difíceis de admitir na vida cristã é que ficamos decepcionados com Deus. Dizer no meio do desespero "Deus é fiel", sem lidar com a dor, é esconder a raiva e o desapontamento. Mas Habacuque conhecia o Deus fiel e amoroso e, por isso, sentiu-se à vontade para expressar-lhe as

NA SALA DE ESPERA COM UM DEUS SILENCIOSO 35

profundezas de suas emoções, sem se preocupar com o fato de sua teologia estar certa ou errada. O profeta sabia que podia se derramar diante do Senhor, sem medo de ser rejeitado.

Uma teologia que não nos liberta para que nos apresentemos diante de Deus como estamos não é saudável. A teologia de Habacuque era pura, sincera, respeitosa e corajosa, simplesmente porque ele sabia que era aceito e amado pelo Senhor, mesmo sem entender os passos de Deus e questionando-os. Essa compreensão é fruto da experiência da graça na vida do profeta. E é o início da caminhada do desespero para a esperança.

No amor de Deus encontramos a liberdade de questioná-lo. A violência existente em Jerusalém fazia Habacuque questionar Deus, especialmente porque um Deus santo não condiz com imoralidade e corrupção. Mas o Senhor é soberano para agir como quer.

O autor de Hebreus nos exorta a aparecer diante de Deus com *confiança*:[5] "Portanto, irmãos, por causa do sangue de Jesus, podemos entrar com toda confiança no lugar santíssimo (Hb 10.19). A palavra *confiança* (*parresia*, em grego) pode ser traduzida como "ousadia", "coragem", "liberdade", "expressão livre do falar", "destemor". Podemos ser transparentes perante o Senhor e questioná-lo sobre o que nos angustia. Como Habacuque, podemos ter coragem para perguntar e discordar. Podemos chorar diante de Deus e, sem medo, dizer: "Perdi minha fé em ti". Nada nos impede de chegar ao Senhor plenamente como estamos, sem protocolo ou rituais. Simplesmente, por causa da fé em Jesus, podemos aparecer diante de Deus e expressar a nossa perplexidade quando não entendemos suas ações em nossa vida.

Um dos traços que mais nos impactam é a graça misericordiosa de Deus conosco quando as emoções estão fora do

36 A SALA DE ESPERA DE DEUS

lugar. Uma vez no lugar santíssimo, ao contrário de nos sentir reprovados, teremos o medo transformado em esperança por causa do amor incondicional de Deus. Podemos entrar na presença do Senhor e chorar copiosamente, com a confiança de que seremos acolhidos.

Habacuque foi ousado, transparente e, de forma muito vulnerável, reconheceu a santidade de Deus ao usar os babilônios, mesmo sendo difícil entender. Quando no santo dos santos — isto é, na presença íntima de Deus — derramamos os medos, as inquietações, os desapontamentos ou a raiva, as palavras de Paulo se fazem presentes: "Não vivam preocupados com coisa alguma; em vez disso, orem a Deus pedindo aquilo de que precisam e agradecendo-lhe por tudo que ele já fez. Então vocês experimentarão a paz de Deus, que excede todo entendimento e que guardará seu coração e sua mente em Cristo Jesus" (Fp 4.6-7).

Santa e eterna é nossa Rocha

Habacuque questionou Deus, mas em momento algum cogitou afastar-se dele. Isso fica evidente quando ele chama Deus de "meu Santo" (1.12). Diante da violência, da corrupção e da imoralidade do seu povo e ao tomar conhecimento de que o Senhor usaria um povo pior ainda para castigá-lo, Habacuque não perdeu de vista quem Deus é e quais as características de seu caráter.

O caráter de Deus é a base sobre a qual Habacuque se aproxima dele. Por ser santo, Deus não deixaria seu povo ser exterminado, nem falharia nas promessas feitas a Abraão — pois Deus, por ser santo, não pode mentir. É muito especial a expressão de Habacuque, "meu Santo". A incompreensão dos processos de Deus não impediu o profeta de continuar olhando para o Senhor com intimidade e confiança, nem gerou em Habacuque desespero incontrolável, a ponto de ele perder a confiança no Pai da nação. Isso é muito evidente porque, antes de se referir a Deus como "meu Santo", Habacuque o trata de "Senhor", *Yahveh*, o Deus do pacto com a nação e com Abraão. *Yahveh* é o Senhor de tudo no universo e nada foge de seu controle. Deus é *Yahveh*, mas também é um Deus pessoal, o "meu Santo". Ele não deixa de ser santo porque usa uma nação reprovável para cumprir seus propósitos. *Yahveh* é o princípio de todas as coisas, o Deus totalmente suficiente, poderoso e conhecedor da situação do povo e do coração do profeta.

Quando nos encontramos em uma situação desesperadora ou nos sentimos impotentes para lidar com determinadas circunstâncias, o que mais precisamos é desse Deus que é Senhor do universo e que continua sendo nosso Deus pessoal. *Acolher-nos em sua presença, mesmo quando estamos revoltados, é graça.* E essa graça vem por meio de Jesus.

O "meu Santo" não precisa que eu o entenda. Não fomos chamados para entender Deus, mas para confiar nele e obedecer-lhe, mesmo em situações incompreensíveis. Ele sempre será santo. O que eu preciso é ser entendido por *Yahveh*. E ele me entende. De fato, preciso crer que *Yahveh* me recebe e

> *Acolher-nos em sua presença, mesmo quando estamos revoltados, é graça.*

atura minhas loucuras, por sua graça. É esse entendimento que fornece a derradeira segurança ao profeta: a situação que ele e o povo enfrentariam poderia ser desastrosa, mas não era final.

A essa altura do diálogo de Habacuque com Deus, percebemos mais uma atitude do profeta que nos ensina e serve de farol para os dias de mar agitado ou completo nevoeiro na sala

38   A SALA DE ESPERA DE DEUS

de espera. Em vez de pensar "não vale a pena continuar pondo o foco em Deus" ou mesmo de cogitar a ideia de repensar sua forma de imaginar o Senhor, Habacuque reconhece sua impotência diante do caos. Ao chamar Deus de "meu Santo", o profeta estava dizendo: "Tu és santo e eu sou pecador, por isso é melhor confiar em ti do que focar minhas perguntas ou dúvidas". Se preferirmos descobrir a causa do desespero em vez de pôr o foco no Deus santo que temos — mesmo quando discordamos dele ou achamos que seus caminhos não fazem sentido —, permaneceremos em nosso estado desesperador.

O Deus que Habacuque viu também era superior ao tempo: "tu que és eterno" (1.12). Ao ressaltar isso, o profeta reafirma sua confiança no Senhor: por ser eterno, ele não passa, não deixa de existir e tem o tempo necessário para cumprir suas promessas — pois, para Deus, qualquer tempo é, sempre, hoje.

No momento de desespero, imaginamos que Deus é injusto e demorado. Mas a realidade é que o caráter eterno do Senhor o torna digno de confiança, pois ele tem à disposição o tempo necessário para mostrar quanto é fiel. A demora de Deus em intervir para mudar a atuação do mal pode nos afligir, mas, justamente porque ele é eterno e santo, o Senhor nos socorre no tempo dele e da forma que melhor lhe parecer. É no processo de ajustar nosso tempo ao dele que Deus trabalha nossa ansiedade e quebra a tendência de querermos controlar aquilo que não controlamos.

Habacuque estava descobrindo mais sobre a santidade e a forma de Deus agir no tempo dele. O profeta podia estar angustiado e desesperado, mas estava no caminho certo, pois, ao ver problemas, o que ele fez foi correr para Deus. Ele poderia ter resistido aos planos do Senhor e fugido, como Jonas fizera (Jn 1—4), mas não. Violência, corrupção e uma resposta difícil à sua oração não fizeram o profeta mudar sua cosmovisão teológica e prática. Ele podia não entender o processo de Deus em sua vida, mas sabia que era possível correr para ele, por causa do caráter fiel, santo e eterno do Altíssimo. Por isso, ele chama Deus de "nossa Rocha" (Hc 1.12).[6]

Em situações de pressão e desespero em salas de espera, carecemos de um porto seguro, de uma Rocha. Os babilônios eram uma ameaça para o profeta e o povo, e representavam guerra, perdas, sofrimento e destruição. Habacuque questionava Deus por isso, mas estava certo de que ele era seu porto seguro. Conhecedor da Lei, parece que Habacuque relembrou as palavras de Moisés: "Ele é a Rocha, e suas obras são perfeitas; tudo que ele faz é certo. É um Deus fiel, que nunca erra, é justo e verdadeiro" (Dt 32.4). Ao chamar Deus de "nossa Rocha", o profeta reconhece que Deus é justo e verdadeiro, mesmo quando julga a nação de Israel lançando mão da Babilônia. E essas características divinas geram estabilidade em tempos de insegurança e confusão.

A essa altura de seu diálogo com Deus, Habacuque parece aceitar e compreender que a ação daqueles inimigos é fruto da disciplina de Deus. Não uma disciplina meramente punitiva, mas redentora.

Toques da graça são liberados em momentos de solidão nas salas de espera. Por isso, ganhamos muito mais atentando para eles do que fitando com impaciência o relógio, que apenas registra a falsa demora do Senhor em responder nossas orações. Com certeza, um dos grandes toques da graça de Deus é levar-nos a descobrir mais a respeito dele, de seu caráter e seu amor redentor por nós.

> Toques da graça são liberados em momentos de solidão nas salas de espera.

40 A SALA DE ESPERA DE DEUS

Ao chamar Deus de "meu santo" e "nossa Rocha", Habacuque registra a profunda revelação do Senhor para ele. Era como se, ao inspirar seu profeta a escrever naquele momento, Deus estivesse lhe dizendo: "Há uma pergunta que você não fez!". As perguntas que fazemos na hora do aperto revelam muito do que existe em nosso coração. Se perguntamos "Até quando, Senhor?" ou "por que o Senhor me deixa passar por tudo isso?", fica claro que nosso coração está centrado em nós mesmos e não no caráter de Deus. Portanto, para abandonar o desejo de ser o centro das atenções e pôr o foco em Deus, é preciso fazer a pergunta crucial: "O que o Senhor quer me revelar a seu respeito?". Esse tipo de questionamento nunca surgirá à beira de uma piscina, quando estamos relaxados, pois é no âmago da dor e do questionamento que Deus nos chama para ouvi-lo. Ele quer que descubramos que, no meio do desespero, o que mais precisamos não é necessariamente receber alívio para o medo ou solução para o problema, mas, sim, descobrir o Deus santo que é nossa Rocha. Afinal, é sua presença que nos concede estabilidade para sobreviver nas salas de espera da vida, sem nos desesperar.

Foi esse traço do caráter de Deus que fez o salmista Davi dizer: "Em silêncio diante de Deus, minha alma espera, pois dele vem minha vitória. Somente ele é minha rocha e minha salvação, minha fortaleza onde jamais serei abalado" (Sl 62.1-2). O mesmo Davi escreveu, em outra oportunidade: "Meu Deus, meu Deus, por que me abandonaste? Por que estás tão distante de meus gemidos por socorro?" (Sl 22.1). Podemos falar com Deus como estamos, sem ser rejeitados pela fragilidade que apresentamos no momento. Louvado seja Deus, que nem sempre nos responde quando queremos e como queremos! Quando ele nos nega as respostas desejadas, da maneira desejada, ele nos dá aquilo que não sabíamos pedir, mas que nos saciará a alma.

Será que somente nós temos momentos de questionamentos, de desespero ou de percepções erradas a respeito de como Deus age e atua em nossa vida e no mundo? E, quando estamos assim, como devemos agir?

Jesus, Habacuque e nós

Nas salas de espera, sofremos de impotência e abandono. A solidão se torna nossa companheira. É nessas circunstâncias que descobrimos que, apesar de tudo, vivemos um momento importante, profundo e singular, em que podemos estar a sós com Cristo.

Foi em meio à dor da separação daquele que o enviara à terra, na cruz do Calvário, que Jesus se dirigiu ao Pai e, citando o salmo 22, disse: "Meu Deus, meu Deus, por que me abandonaste?" (Mt 27.46). Jesus não negou suas emoções enquanto a angústia dilacerava todo o seu ser. Mas esse era o caminho que ele havia escolhido. E é justamente por ter morrido na cruz e experimentado a angústia da solidão que Jesus nos entende. Nosso Salvador é capaz de nos socorrer em meio ao desespero e à solidão, e precisamos lembrar disso. Correr para Jesus na hora da angústia, poder falar com o Pai sobre o que se passa no coração e questioná-lo livremente sem sofrer rejeição é fruto da graça. A graça que nos foi dada por meio de Jesus.

Pedro e Dora continuavam na sala de espera. O médico finalmente apareceu. Os olhos do casal brilharam de esperança, mas ele disse: "Sinto muito, seu filho teve um problema neurológico a que precisamos dar mais atenção e talvez removê-lo para outro hospital. Vão para casa e, assim que tivermos

42 A SALA DE ESPERA DE DEUS

melhores notícias, telefonaremos para vocês. Por enquanto, esperem". Aquele casal percebeu, então, que a sala de espera ainda os acompanharia por algum tempo.

Nossa confiança em Jesus nos momentos de desespero se baseia naquilo que ele é, fez e faz por nós.

> Visto, portanto, que temos um grande Sumo Sacerdote que entrou no céu, Jesus, o Filho de Deus, apeguemo-nos firmemente àquilo em que cremos. Nosso Sumo Sacerdote entende nossas fraquezas, pois enfrentou as mesmas tentações que nós, mas nunca pecou. Assim, aproximemo-nos com toda confiança do trono da graça, onde receberemos misericórdia e encontraremos graça para nos ajudar quando for preciso.
>
> Hebreus 4.14-16

Não merecemos esse acesso a Deus, porque somos pecadores. Mas Jesus subiu à cruz não somente para perdoar nossos pecados, mas também para abrir o caminho a fim de chegarmos a Deus nos tempos de alma dilacerada. Não temos como sobreviver sem essa graça.

Habacuque não usou a linguagem de Hebreus 4.14-16, mas pôs em prática seu ensinamento: aproximou-se com confiança do trono da graça. O profeta viu a situação caótica do seu povo e não fugiu da situação, em vez disso admitiu as emoções, a angústia, a dor que vivenciava. Ele foi além: questionou Deus, orou, abriu o coração. Nesse processo, em vez de receber a resposta que esperava, ouviu que a situação do seu povo pioraria. E o que ele fez? Continuou perante Deus e, assim, descobriu um Deus que é santo, acolhedor e amoroso, e que gera estabilidade e segurança. *Para manter o equilíbrio emocional e racional na sala de espera, precisamos permanecer perante Deus, dizendo-lhe o que precisamos dizer.*

Por causa de Jesus, podemos ter a mesma experiência e abrir o coração para um Deus que nos acolhe mesmo quando expressamos nossas loucuras, oriundas de uma percepção errada a respeito dele. Assim, parafraseando uma expressão de John Piper, não podemos desperdiçar nossas dores,[7] pois, no meio delas, descobrimos que Deus nos leva do desespero à esperança. Habacuque se sentiu abandonado, mas, em vez de nutrir o sentimento de abandono, correu para o Deus que é a Rocha. Em vez de se concentrar nas perguntas sem respostas, expressou seus sentimentos, focando-se o Deus santo que não mente.

> *Para manter o equilíbrio emocional e racional na sala de espera, precisamos permanecer perante Deus, dizendo-lhe o que precisamos dizer.*

Precisamos relembrar que o Deus que nos enviou seu Filho para morrer por nós quando merecíamos punição eterna está sempre agindo para fazer algo especial em nossa vida, mesmo quando não compreendemos suas ações. Não fomos chamados para entender tudo o que Deus faz, mas para conhecê-lo, amá-lo e obedecer-lhe.

Esperar uma palavra do médico quando minha esposa estava no trabalho de parto foi uma experiência cruciante. Meu filho sobreviveria? Teca sobreviveria? Vi a enfermeira passar com um bebê e pensei: "Será que é meu filho?". Algum tempo depois, o neonatologista me chamou e disse: "Seu filho não sobreviverá. Você pode ver a enfermeira cuidar dele pelo vidro da sala da UTI, mas provavelmente ele não resistirá". Eu estava numa longa e delicada estada numa sala de espera da qual não sabia como sairia. Eu tinha muitas perguntas, mas também tinha um Deus que, além de tolerar pacientemente minhas perguntas, estava fazendo uma obra maravilhosa em minha vida e na da minha família.

É nessa hora que descobrimos o Deus que nos leva do desespero à esperança, caminhando passo a passo conosco nessa longa jornada. Como compreender esse Deus, que, sendo amoroso, poderoso e nossa Rocha, age como age? Como conviver com o Deus que é soberano, de cujo controle nada foge e cujos planos muitas vezes incluem nos deixar numa sala de espera? É o que veremos no próximo capítulo.

2
Na sala de espera com um Deus soberano

Será que Deus controla mesmo todas as coisas?

Quando saímos de casa, não temos certeza se voltaremos, nem como voltaremos. Essa foi a experiência que viveu a família de Joubert. O rapaz de 23 anos saiu de casa por volta das 6 horas da manhã para uma viagem de quatro horas até a capital do seu estado. Era uma jornada costumeira, que se tornaria muito especial.

Terminada a faculdade, Joubert foi aceito para cursar mestrado em teologia em um dos seminários mais conceituados do país. Desde os 17 anos, ele acreditava que o plano de Deus para sua vida era o campo missionário. O término do curso superior era, portanto, a conclusão da primeira etapa. Como profissional liberal, estava habilitado a abrir um negócio que traria benefícios à comunidade e, assim, usar sua profissão como canal evangelístico e de treinamento de líderes para as igrejas locais. Sua família estava totalmente de acordo com esses planos e entendera que, dali a alguns anos, Joubert não estaria mais com eles.

Mas, naquela viagem, tudo mudou. Por volta das sete horas, um veículo em sentido contrário e dirigido por um homem alcoolizado colidiu com o carro de Joubert, que deu entrada no hospital em estado crítico. Os pais não acreditaram quando receberam a notícia. No caminho, uma viagem de cerca de duas horas, eles se perguntavam, entre lágrimas e orações, por que Deus havia deixado um jovem tão bom e tão desejoso de servi-lo viver essa experiência. Será que o campo missionário não era a vontade de Deus para Joubert e ele o estava impedindo de seguir aqueles planos? Como isso poderia acontecer a um rapaz tão dedicado a Deus? Como isso poderia ter acontecido a pais sempre tão fiéis ao Senhor, devotados a educar os filhos no caminho do evangelho de Cristo?

Os pais chegaram ao hospital ao mesmo tempo que o pastor da igreja frequentada pela família. Entre abraços e orações, o pastor lhes disse: "Deus é soberano e tem planos para o Joubert". Os pais o ouviram, mas, dentro deles, outras tantas perguntas surgiam: "Será mesmo que Deus é soberano?", "Será mesmo que Deus tem controle sobre tudo o que nos acontece?" e "Se Deus é, ao mesmo tempo, soberano e amoroso, ele não poderia ter impedido aquele motorista de beber ou ter desviado o carro dele e assim evitado a colisão?".

Por mais que aquele casal conhecesse Cristo havia muitos anos, a dor de ver o filho sofrer, em contraste com os planos de Joubert para o campo missionário, o deixou confuso e perplexo. Especialmente quando os dois tiveram de lidar com a questão da soberania de Deus. Sim, eles disseram "amém" às palavras do pastor, mas... com muita dificuldade.

Habacuque também ficou perplexo e confuso quando ouviu que o Senhor usaria os babilônios para punir o povo de Deus. Como conciliar o lado amoroso e protetor de Deus com um lado punitivo? Como harmonizar o *status* de povo de Deus com a decisão divina de usar um povo ímpio como instrumento para a punição? Como conviver com um Deus que ele sabia ser soberano, mas cuja soberania parecia não fazer sentido naquele momento ou mesmo ser incoerente com o caráter do Senhor?

Os pais de Joubert experimentaram o mesmo conflito. Eles procuravam viver corretamente diante de Deus e, mesmo assim, a dor os alcançou. E agora? Como Habacuque e os pais de Joubert poderiam lidar com a situação vivida e a realidade da soberania de Deus? E se os babilônios exterminassem os judeus? E se Joubert morresse ou ficasse paraplégico? E quanto a nós? O que acontece quando, em situações desesperadoras, deparamos com o dilema de crer na soberania de Deus e viver o medo pelo futuro e pelos resultados adversos que aquela catástrofe pode nos trazer? Será que Deus está de fato no controle do futuro? Ou temos uma parte nessa soberania de Deus?

> O que acontece quando, em situações desesperadoras, deparamos com o dilema de crer na soberania de Deus e viver o medo pelo futuro e pelos resultados adversos que aquela catástrofe pode nos trazer?

Vivemos numa cultura de alívio. Para muitas fontes de ansiedade e para a necessidade de sono e descanso, existem medicamentos ansiolíticos. Para lidar com a impotência diante das pressões da vida, existem as drogas sintéticas que levam os usuários para uma caverna falsamente segura. Para as aflições que também precisam ser enfrentadas com recursos espirituais, existem os falsos ensinos, que nos dizem que Deus não deseja que soframos, que sejamos pobres e, em última análise, que sejamos cauda, mas cabeça.

Em nossa época, o evangelho genuíno de Cristo, que prevê dias bons e maus, foi trocado por um evangelho triunfalista no qual criamos um deus segundo nossa imagem, e não como ele é verdadeiramente. "O evangelho é distorcido pelo denominado cristianismo do bem, que nega qualquer chamado para um discipulado radical".[1] Um discipulado radical implica imitar

48   A SALA DE ESPERA DE DEUS

Jesus e, ao fazê-lo, não temos como isentar-nos de provações, tentações, decepções, desapontamentos e sofrimentos, pois Jesus passou por tudo isso.

Cristo não disse que nossa vida seria triunfalista. Ao contrário, ele disse claramente e em letras garrafais: "Aqui no mundo vocês terão aflições" (Jo 16.33). Jesus nunca nos garantiu uma vida sem perdas, dores, decepções, divórcios, filhos dependentes químicos, cônjuges adictos a pornografia, câncer ou parentes homoafetivos. Jesus nunca disse que um crente não teria filhos com problemas genéticos ou alguma doença degenerativa. Tampouco garantiu que jamais sofreríamos um acidente automobilístico. Ao contrário, ele deixou claro que no mundo teríamos aflições. Algumas seriam frutos de nossas decisões; outras, de erros alheios, como no caso de Joubert. No entanto nenhuma delas foge ao controle de Deus.

Vivemos ainda circunstâncias aflitivas oriundas de decisões do próprio Deus, ou que nos sobrevêm com sua permissão. Com certeza, Abraão passou por uma tremenda aflição enquanto subia o monte Moriá para sacrificar Isaque. Também José ficou aflito ao ouvir seus irmãos tramarem vendê-lo como escravo. De igual modo, a aflição pela qual Habacuque passava era fruto da decisão de Deus: o Senhor enviaria os babilônios contra Israel para punir a nação pelos pecados. E assim também ocorre conosco. Se, por exemplo, atravessamos o sinal vermelho e sofremos uma colisão, arcamos com o fruto da nossa imprudência.

Em suma, precisamos sempre lembrar que, em nenhum momento da história, Deus nos garantiu uma vida isenta de problemas, desafios ou dores. Muitos dos nossos conflitos internos com Deus se devem ao fato de imaginarmos que, por sermos alvo de seu amor, estaríamos isentos de problemas, que seriam resolvidos da forma como esperamos e no tempo que desejamos.

Também pensamos que, se vivemos de forma correta, automaticamente Deus tem a obrigação de nos recompensar com coisas boas e de nos livrar de todo mal, sem permitir jamais que percamos o emprego ou adoeçamos. Por causa desse pensamento equivocado, não raro deturpamos as palavras de Deus para ajustá-las ao que imaginamos.

Muitas vezes, contudo, más notícias podem se tornar boas nas mãos de Deus. Mas, se não tivermos em mente que Deus não nos prometeu apenas bem-estar ou dias felizes como seguidores de Jesus, nem sempre tomaremos más notícias como boas. A mensagem bíblica diz, inclusive, que, se quisermos viver uma vida de devoção a Cristo, sofreremos perseguições (2Tm 3.12).

Quando começamos a seguir Cristo, passamos por certos conflitos que não imaginaríamos ter. Por desejar segui-lo, algumas coisas difíceis nos serão impostas e outras virão em consequência de nossas escolhas. Entre tais dificuldades está o dilema de reconhecer a soberania de Deus e decidir aceitar as aflições ou nos revoltar. Nessa encruzilhada, precisamos optar entre confiar em Deus ou fugir dele. Se fugirmos dele, estaremos desistindo de crer que, mesmo em dias ruins ou no meio de circunstâncias adversas, ele está sempre presente.

> Uma coisa é certa: embora Deus não nos tenha garantido isenção de problemas, prometeu-nos estar sempre presente.

Então nos perguntamos: como entender Deus numa situação em que as aflições não fazem sentido ou não advêm de nosso erro? E quando não são frutos do nosso erro, como não entrar em desespero? Uma coisa é certa: embora Deus não nos tenha garantido isenção de problemas, prometeu-nos estar sempre presente. E, para desfrutar dessa presença, crer em sua soberania é crucial.

Deus é soberano todos os dias

Habacuque estava lutando com o fato de Deus usar os babilônios para punir Israel. O profeta não tinha problemas em aceitar a disciplina de Deus sobre seu povo em razão do pecado, mas lhe era difícil ver os babilônios nessa história, dado o perfil moral daquele povo. Assim também ocorreu com Jonas quando Deus agiu em favor dos ninivitas. E não foi diferente para os pais de Joubert aceitarem a soberania de Deus, uma vez que ele poderia ter impedido o acidente do filho.

Embora nos dias de Habacuque o reino de Judá ainda não fora invadido pelos babilônios, cerca de sete décadas antes Deus anunciara a outro profeta, Isaías, a queda da própria Babilônia. Estas são as palavras do Senhor, referentes a sua soberania, registradas no livro de Isaías (46.9-11):

> Lembrem-se do que fiz no passado, pois somente eu sou Deus; eu sou Deus, e não há outro semelhante a mim. Só eu posso lhes anunciar, desde já, o que acontecerá no futuro. Todos os meus planos se cumprirão, pois faço tudo que desejo. Chamarei do leste uma ave de rapina veloz, um líder de uma terra distante, para que cumpra minhas ordens. O que eu disse, isso farei.

Esse texto é um tratado sobre a soberania de Deus, que precisamos aceitar a fim de lidar com as catástrofes e as salas de espera da vida. A profecia mencionada no livro de Isaías mostra que Deus tem controle do presente e do futuro. Ele não apenas sabe o que acontecerá, mas determina e realiza tudo o que planejou: "O que eu disse, isso farei".

Ao lidar com a soberania de Deus, entendemos algo muito singular. Deus não diz o que acontecerá e, depois, se distancia do mundo; antes, ele se envolve no cumprimento daquilo que determinou. Portanto, somos confortados pelo fato de que nada do que nos acontece em âmbito pessoal ou coletivo foge do controle do Senhor. E porque Deus é soberano, nada que eu faça muda o caminho que ele traçou. O Senhor disse: "Todos os meus planos se cumprirão, pois faço tudo que desejo". James Kennedy assim se refere à soberania de Deus em sua obra *Verdades que transformam*: "Não existe homem nem grupo de homens que seja capaz de opor-se, frustrar ou limitar qualquer dos propósitos de Deus".[2]

Fica claro que os planos do Senhor para a vida de Joubert não estavam sendo alterados em decorrência do acidente. Se confiamos em um Deus soberano, que tudo vê e tudo controla, nos sentimos seguros.

Para Habacuque, os planos divinos, realizados por intermédio dos babilônios, pareciam infames e incoerentes, mas a verdade é que, em sua soberania, o Senhor tem liberdade para determinar o futuro e escolher os meios de concretizá-lo. E, como ele é Deus, naturalmente o caminho que determina é melhor do que o que eu escolheria. Fato é que os caminhos que escolhemos geralmente têm por base nosso constante bem-estar, sem dores, sofrimentos ou a necessidade de enfrentar as duras realidades da vida. Por isso ficar na sala de espera dói. No entanto, os caminhos de Deus sempre o glorificam e nos beneficiam, pois ele está interessado em nos formar, podar, moldar e edificar. Deus quer que nos pareçamos com Jesus, cujo caminho incluiu perda, dor, rejeição e o Calvário. Por que conosco seria diferente? A soberania divina é clara quando observamos momentos difíceis vividos

52 A SALA DE ESPERA DE DEUS

por personagens bíblicos, como José, Sansão e Estêvão, e em alguns atos de Deus na natureza.

> Ele envia suas ordens ao mundo, e sua palavra corre veloz. Envia a neve como lã branca e espalha a geada sobre a terra como cinzas. Lança granizo como pedras; quem é capaz de suportar o frio intenso? Então, por sua ordem, tudo se dissolve; envia seus ventos, e o gelo derrete.
>
> Salmos 147.15-18

Olhando para esse salmo, é impossível fugir da realidade de que Deus está envolvido no que ocorre na natureza, gerando, controlando e sustentando. Como escreveu Jerry Bridges em seu livro *Deus está mesmo no controle?*: "Deus não abandonou o controle diário de sua criação. Com certeza estabeleceu leis físicas pelas quais governa as forças da natureza, mas essas leis operam continuamente, de acordo com sua vontade soberana".[3]

O Deus que pode lançar granizo também impede uma enchente ou faz parar um *tsunami*. O Deus que manda o frio tem o poder de causar uma tempestade, como a que os discípulos enfrentaram no mar da Galileia (Mc 4.35-41). Pode ser que venhamos a duvidar dessa verdade quando alguém que amamos perde, ou nós mesmos perdemos, uma casa numa tempestade ou um filho num acidente de avião, em decorrência de uma ventania incontrolável. No entanto, precisamos confiar que o Deus que não impediu a tempestade é o Deus que sabe todas as coisas e de quem nada foge ao controle.

Não temos respostas completas sobre o motivo de Deus permitir tais coisas. Tampouco conseguimos compreender plenamente por que ele não impediu que certos desastres acontecessem, sabendo que muitas pessoas pereceriam, como no caso de furacões e *tsunamis*. Em contrapartida, como nos diz

NA SALA DE ESPERA COM UM DEUS SOBERANO **53**

Bridges, "precisamos cuidar para, em nossa mente, não tirar Deus de seu trono da soberania absoluta ou colocá-lo no banco dos réus e levá-lo para nosso tribunal a fim de julgá-lo".[4]

Portanto, não é figurado o ensino de Jesus quando ele diz: "Quanto custam dois pardais? Uma moeda de cobre? No entanto, nenhum deles cai no chão sem o conhecimento de seu Pai. Quanto a vocês, até os cabelos de sua cabeça estão contados" (Mt 10.29-30). Se o Senhor tem o controle da vida dos pardais e sabe quantos fios de cabelo temos, não nos guardaria ele em seus propósitos? Se Deus controla a existência dos pássaros, não teria ele controle sobre nossa vida? Jesus disse mais: "Observem os pássaros. Eles não plantam nem colhem, nem guardam alimento em celeiros, pois seu Pai celestial os alimenta. Acaso vocês não são muito mais valiosos que os pássaros?" (Mt 6.26). Essas afirmações de Cristo nos fazem crer que Deus tem o controle sobre tudo, desde as galáxias até os átomos de toda matéria. Da mesma forma, ele tem controle e poder sobre o que acontece ao nosso redor e com aqueles que amamos.

Isso não significa, contudo, que Deus aprova ou provoca tudo o que acontece, em todo e qualquer ambiente. Ter soberania sobre tudo não quer dizer que o Senhor causa um assassinato ou faz de conta que não vê a corrupção no coração de um alto funcionário do governo. O que entendemos por soberania é que, em última análise, o Senhor tem poder sobre tudo, inclusive para impedir ou não uma ação criminosa.

Esse poder de Deus pode funcionar como agente causador ou como agente permissivo. No contexto do livro de Habacuque, o Senhor estava vendo a corrupção moral e religiosa do seu povo. Ele poderia impedir? Claro que sim. Mas a forma escolhida por ele para impedir o caminho rampante do pecado da nação e, ao mesmo tempo, discipliná-la foi por meio dos babilônios, cuja violência, imoralidade e poder não eram surpresa para Deus. Deixar os babilônios invadirem Judá era uma decisão divina e soberana. Precisamos crer que, quando o Senhor não impede

> **Precisamos crer que, quando o Senhor não impede algo ruim ou toma decisões diferentes daquilo que esperamos, é porque, no seu controle sobre nossa vida, ele está provendo o melhor, mesmo que hoje achemos que é o pior.**

algo ruim ou toma decisões diferentes daquilo que esperamos, é porque, no seu controle sobre nossa vida, ele está provendo o melhor, mesmo que hoje achemos que é o pior.

Era inexplicável para Habacuque o fato de Deus usar os babilônios, assim como era inexplicável para os pais de Joubert ver o filho na UTI sabendo que ele havia dedicado a vida ao Senhor. Quando temos dificuldade em aceitar a soberania de Deus e o que nos acontece com a permissão dele, podemos passar a desconfiar do amor do Senhor. A realidade é que consideramos a soberania de Deus boa apenas quando seus atos difíceis nos abençoam segundo nosso entendimento do que é bênção e de quem é Deus. No entanto, não podemos definir a soberania e o caráter do Senhor a partir do que entendemos. Precisamos procurar entendê-los a partir do que está escrito na Palavra. A soberania divina dá ao Senhor a liberdade de fazer a escolha que ele quiser sobre o que afeta ou não nossa vida. Ao exercer sua soberana vontade, Deus glorifica a si mesmo e, ao fazê-lo, não prejudica o ser humano, mesmo que aparentemente isso aconteça.

Por ser soberano, Deus disse a Abraão que os seus descendentes seriam escravos por quatrocentos anos no Egito e depois seriam libertos. O objetivo do Onipotente era formar um povo resiliente a sofrimentos, o que é uma bênção. Ao permitir que José fosse levado escravo ao Egito, Deus estava cumprindo as promessas que fizera séculos antes a Abraão, preservando seu povo, enaltecendo José e sendo glorificado. No calor do momento, essa realidade não era perceptível, mas, hoje, vendo o cenário maior, percebemos claramente a ação divina.

Em nossa vida, como na de Habacuque, José, Abraão e Joubert, Deus sempre age de forma soberanamente amorosa. Ele quer levar seus amados do desespero à esperança, mesmo que fiquemos longos períodos em salas de espera, onde o Senhor permanece conosco.

Deus é sempre bom

Habacuque estava acostumado a ver Deus agir em dias bons. É muito importante nos lembrar do amor do Senhor quando prosperamos nos negócios, nos sentimos amados e importantes no casamento ou vemos os filhos progredirem na escola. Deus é sempre bom, e essas fases gostosas da vida nos lembram disso. No entanto, não podemos permitir que essa percepção desapareça nos dias difíceis ou de escassez: Deus é sempre bom, nos dias em que fomos protegidos de uma catástrofe e, também, naqueles em que a catástrofe nos derrubou.

É desesperadamente importante ver sempre a soberania de Deus em paralelo ao seu amor. Para fazer esse exercício, coloquemos lado a lado a experiência de Habacuque e a verdade divina apontada pelo apóstolo Paulo em Romanos:

> E sabemos que Deus faz todas as coisas cooperarem para o bem daqueles que o amam e que são chamados de acordo com seu

propósito. Pois Deus conheceu de antemão os seus e os predestinou para se tornarem semelhantes à imagem de seu Filho, a fim de que ele fosse o primeiro entre muitos irmãos. Depois de predestiná-los, ele os chamou, e depois de chamá-los, os declarou justos, e depois de declará-los justos, lhes deu sua glória.

Romanos 8.28-30

Se cremos que essas palavras são verdadeiras e que toda verdade vem de Deus, devemos entender as más circunstâncias à luz desse entendimento. Frequentemente somos cegados pela pressa em tentar entender os caminhos de Deus, quando, na realidade, ele ainda não terminou de revelá-los. Como consequência, demoramos a entender como todas as coisas cooperam para nosso bem, especialmente aquelas que geram dores, perdas ou sofrimentos. Esse caminho pode nos levar a questionar a bondade de Deus.

Não podemos deixar de lembrar que nem sempre as coisas acontecem automaticamente. Deus planeja e determina, mas gosta de envolver as pessoas e sua responsabilidade na equação. Por exemplo, quando pensamos na crucificação de Jesus, vemos que a cruz foi o caminho traçado pela Trindade para a redenção da humanidade. Mesmo assim, Deus não deixou de fora a responsabilidade humana, como o apóstolo Pedro menciona claramente:

Povo de Israel, escute! Deus aprovou publicamente Jesus, o nazareno, ao realizar milagres, maravilhas e sinais por meio dele, como vocês bem sabem. Ele foi entregue conforme o plano preestabelecido por Deus e seu conhecimento prévio daquilo que aconteceria. Com a ajuda de gentios que desconheciam a lei, vocês o pregaram na cruz e o mataram.

Atos 2.22-23

Jesus foi crucificado conforme o plano preestabelecido por Deus, sim, mas Pedro mostra que o homem também teve responsabilidade. Os homens pregaram Jesus na cruz, o que só foi possível em decorrência da permissão de Deus, portanto nesse mesmo texto aparecem a soberania de Deus e a responsabilidade humana. Como a ação de cada um se sobrepõe ou interage é algo além da completa compreensão humana.

Essa coparticipação ocorre não somente em situações difíceis ou pecaminosas, mas, também, nas que, desde o início, nos parecem positivas. Por exemplo, Deus disse que não abandonaria seu povo eleito, mas ao mesmo tempo ele não poderia deixar o pecado perdurar na nação. O comportamento dos israelitas não impediria os planos de Deus, embora eles estivessem em desobediência. Se perseverassem nela, o castigo viria. A questão é que, mesmo castigando a nação por meio da Babilônia, o Senhor não a estava abandonando nem deixando de lado o seu propósito de que ela o tivesse como único Deus. Em alguns casos, a soberania de Deus inclui disciplina, mas não uma disciplina para destruição e, sim, para temor e restauração.

Ao ouvir do pastor que Deus era soberano, os pais de Joubert sentiram um certo abandono da parte de Deus e uma sensação de impotência diante de um Deus todo-poderoso e amoroso que "não foi capaz" de impedir aquele acidente com o filho que tanto amavam. Nessa mesma linha de raciocínio, Habacuque estava passando pelo processo de descobrir que a soberania de Deus incluía controle sobre todas as coisas, mas esse controle não significava abandonar seus planos. Deus não havia largado seu povo à própria sorte. Ele usaria os babilônios, mas eles estariam sob seu estrito controle.

O fato de Deus ser soberano nos dá segurança em razão de seu caráter. O apóstolo Paulo usa o mesmo contexto para nos dizer que Deus faz que todas as coisas contribuam para o bem daqueles que o amam, e que nada nos separa do amor dele. Se olharmos a lista de ilustrações que o texto de Romanos 8.31-39 nos apresenta, encontraremos circunstâncias de caráter espiritual, material, físico e temporal. Nada nos separar do amor de Deus não significa nos isentar de aflições, calamidades, perseguições, fome, miséria, perigo, ameaças de morte, incertezas ou opressões demoníacas. Deus não nos prometeu ausência de problemas. Ele nos prometeu que não nos abandonaria em nenhuma dessas circunstâncias. O que Deus diz é que, tendo o controle final sobre todas as coisas, ele faz que contribuam para o nosso bem.

> Deus não nos prometeu ausência de problemas. Ele nos prometeu que não nos abandonaria em nenhuma dessas circunstâncias.

Quando o médico do nosso filho me chamou para ficar na sala de espera diante da UTI infantil daquele hospital, fui assaltado por perguntas. Deus me reservou muitas horas longas e solitárias de espera para que, em outras circunstâncias, quando eu me sentisse impotente, soubesse que podia confiar nele. Não aprendi na hora, e ainda estou aprendendo, mas em sua soberania ele estava me preparando para o futuro.

O Deus que faz o que não entendemos de imediato

Habacuque expressou a Deus seus sentimentos, e a resposta foi inusitada. O profeta não conhecia Romanos 8.28-29, mas conhecia o Deus compassivo e misericordioso. Por isso, o clima do primeiro capítulo de seu livro caminha para uma situação de paz.

O soberano Deus controla todas as coisas e, no final, elas contribuirão para nosso bem. Esse *bem* diz respeito ao

NA SALA DE ESPERA COM UM DEUS SOBERANO **59**

propósito divino de nos moldar à semelhança de Cristo. Por isso, o bem que Deus vier a prover nem sempre será um alívio ou uma solução imediata de um problema que lhe apresentamos, mas algo que dará glória a ele e beneficiará seus filhos.

Quando Jesus curou o cego Bartimeu, aquele pedinte gritava: "Jesus, Filho de Davi, tenha misericórdia de mim!" (Mc 10.47). A multidão pediu que se calasse, mas o Mestre ouviu seu grito e mandou chamá-lo. O cego estava preocupado com sua cegueira, mas Jesus lhe deu algo mais do que o sentido da visão. O cego pediu a capacidade de ver, mas Jesus disse: "Vá, pois sua fé o curou" (Mc 10.52). O verbo que Marcos usa nos assegura que Jesus não somente curou a cegueira física, mas salvou Bartimeu, dando-lhe a vida eterna.[5] Ninguém chamaria Jesus de "Filho de Davi" se não conhecesse 2Samuel 7.1-17.[6]

Deus poderia ter impedido a cegueira de Bartimeu, mas não o fez certamente porque tinha em mente o que Jesus faria mais tarde na vida daquele homem. E, se Bartimeu ficou cego por causa de um pecado cometido, como era a crença da época, Deus já havia predestinado seu encontro com Jesus, bem como sua cura física e espiritual. Nada poderia separar Bartimeu do amor que Deus sentia por ele.

Não podemos nos esquecer de que o próprio Jesus viveu numa sala de espera, mas nela ele também experimentou profundamente o amor do Pai. Antes da fundação do mundo, Jesus sabia o que passaria entre nove horas da manhã e três da tarde daquela sexta-feira. A dor da sala de espera de Jesus começou milhares de anos antes e aprofundou-se a partir do dia do seu batismo, quando começou a ser perseguido. Como humano, ele esperou por aqueles trinta anos que culminariam com sua crucificação. Na madrugada do dia em que sofreria nas mãos de seus algozes, Jesus pediu

60 A SALA DE ESPERA DE DEUS

inutilmente ao Pai o alívio de seu sofrimento, mas o Filho conhecia o Pai que tinha. E embora ele confiasse no Pai soberano, seu lado humano pediu que, se possível, ele fosse liberado do cálice de sua paixão.

Imagine o que aconteceria se o Pai houvesse atendido à oração de Jesus! Nenhum de nós teria a vida eterna! Por esse bem maior, Jesus aceitou a vontade do Pai como sua mais profunda adoração a Deus e mais profunda expressão de amor por nós. Como o apóstolo Paulo escreveu: "Que podemos dizer diante de coisas tão maravilhosas? Se Deus é por nós, quem será contra nós? Se ele não poupou nem mesmo seu próprio Filho, mas o entregou por todos nós, acaso não nos dará todas as outras coisas?" (Rm 8.31-32).

Deus nos dará todas as coisas: todas as circunstâncias e experiências e todos os recursos necessários para produzir em nós o caráter de Cristo. Ter a natureza de Jesus é o que nos satisfará. Nele, ficaremos satisfeitos diante do inusitado, do desconhecido, do estranho, do impossível de ser vivenciado com recursos humanos. Mas isso se torna possível apenas em decorrência do amor de Deus por nós e do perdão de nossos pecados por meio de Cristo.

Jesus enfrentou uma sala de espera solitária, fria, dolorida. Acima de tudo, sofreu a dor da rejeição do Pai, mesmo que por alguns instantes. Tudo por amor a nós. E, em razão do amor do Pai por ele, Jesus ressuscitou, glorificado. Assim, temos para quem correr quando estamos cercados por situações que não entendemos ou que achávamos que nunca enfrentaríamos.

Não podemos correr o risco de pensar que, porque somos filhos de Deus, não passaremos por momentos tenebrosos. Assim, desastres automobilísticos, bebês com deficiências, divórcios incoerentes, filhos drogados, injustiças trabalhistas,

NA SALA DE ESPERA COM UM DEUS SOBERANO **61**

mortes prematuras e corruptos sendo usados para punir até pessoas íntegras são questões que, por mais difíceis que sejam de entender, não fugiram do controle de Deus. E o Deus de Habacuque continua dizendo que, por mais que não compreendamos seus atos, ele está fazendo algo admirável, que redundará em glória para ele e em benefício para nós.

Quando Deus disse a Habacuque que faria algo admirável, pareceu inconcebível aos olhos do profeta que isso fosse realizado por meio dos babilônios. Essa obra maravilhosa só seria explicada séculos depois, por Paulo e Barnabé, em Antioquia da Psídia (At 13.41). Ao explicar a vinda de Jesus, quem ele era e os propósitos de Deus por seu intermédio, os dois citam Habacuque 1.5. Eles associam a profecia do Antigo Testamento à obra maravilhosa do perdão de pecados por meio de Cristo. Aquilo que fora obscuro para o profeta se tornaria não só um alerta de Deus ao povo para que se voltasse para ele, mas, em última análise, tratava-se do cumprimento pleno das palavras divinas que se daria apenas na vinda do Messias. E ela era o ápice da revelação do amor do Senhor pela nação de Israel e pelo mundo.

O que Habacuque fez com o inusitado é o que os pais de Joubert precisariam fazer. Também é o que todos precisamos fazer quando as decisões soberanas de Deus parecem não fazer sentido para nós. Depois de ter expressado a Deus suas frustrações, de forma corajosa e pessoal, sem deixar de chamar Deus de "meu Santo" e "minha Rocha", Habacuque toma uma decisão que revela um coração resignado e confiante.

Depois de horas de cirurgia, finalmente o cirurgião abriu a porta e conversou com os pais de Joubert. Antes mesmo de falar, o médico ouviu os pais perguntarem: "Nosso filho está bem? Ele vai sobreviver?". O médico respondeu: "O acidente foi grave e a cirurgia, delicada e demorada. Precisamos esperar. Pode ser que ele perca os movimentos dos membros inferiores, mas precisamos esperar para ter certeza".

Os pais de Joubert não eram Habacuque, mas tinham o mesmo Deus. Será que não deveriam ter a mesma atitude do profeta? Mas como ter essa mesma atitude quando se está tão fragilizado e impactado pelas circunstâncias? Habacuque, resignado e confiante, se recolheu: "Subirei até minha torre de vigia e ficarei de guarda. Ali esperarei para ver o que ele diz, que resposta dará à minha queixa" (Hc 2.1).

Aquela torre era sua sala de espera. Ali, Habacuque ficou à espera da atuação de Deus em sua vida, para levá-lo do desespero à esperança. Quando vivemos com Deus em salas de espera, aprendemos que, no tempo dele, o Senhor transforma anos de espera em períodos de satisfação nele, apesar das perdas. O fim do primeiro capítulo de Habacuque e o início do segundo nos desafiam a fazer o mesmo. Correr para Deus e ficar na sala de espera com ele é o caminho divino que nos é proposto.

O Senhor sempre quer fazer além do que podemos pensar e imaginar, além do alívio para nossas dores. Deus quer nos chamar para algo mais profundo do que aquilo que estamos vendo e vivendo. Ele sempre fará algo maravilhoso, admirável.

3
Solitários, mas com Deus na sala de espera

Nossa fé cresce ou definha enquanto esperamos?

Depois de três anos de casamento com Joás, Celina começou a sentir que seu marido já não demonstrava interesse sexual nela. Aquele rapaz brincalhão e afetuoso dos anos de namoro parecia ter desaparecido. Aos poucos, o casal também deixou de se envolver com as atividades da igreja, e Celina se deu conta de que a vida devocional dos dois estava morrendo. Uma planejada segunda lua de mel transformou-se em uma viagem fria, monótona e com poucas conversas significativas. Celina procurava aprofundar sua vida de oração, mas parecia que nada mudava.

Certo dia, aquilo de que Celina desconfiava aconteceu. Com o argumento de que precisava sair mais cedo para o trabalho, Joás saiu de casa rapidamente e, quando Celina se levantou, encontrou uma carta destinada a ela na mesinha de cabeceira. Em poucas palavras, Joás escreveu: "Não tinha mais como esconder ou resistir. Por mais que tenha amado você, meu coração hoje pertence a outra pessoa e estou saindo de casa para morar com ele. Perdoe-me". Quase em estado de choque, Celina leu e releu o trecho "saindo de casa para morar com ele". Teria Joás trocado uma letra? Seria mesmo "com ele" ou "com ela"?

O telefone de Joás estava desligado. Celina ligou para o casal de amigos mais próximo. Na chorosa e amarga conversa com seus amigos, ela disse, entre outras coisas: "Como Joás pôde fazer isso comigo? Nosso casamento foi uma farsa? Onde fica Deus nisso tudo?". O máximo que os amigos puderam lhe dizer foi que orasse, orientando-a a ter calma, esperar em Deus, pois ele para tudo tem um propósito.

Quando Habacuque ouviu que Deus usaria os babilônios para punir o povo de Judá, ele se dizia interiormente: "Eu nunca esperaria isso de Deus, como ele pode fazer isso comigo e com o povo que diz amar?". Em níveis e contextos diferentes, tanto a experiência de Habacuque como a história de Joás e Celina se repetem em muitas famílias. São pais que recebem a notícia de que um filho está com HIV, uma mãe que descobre que o bebê em seu ventre tem alguma má-formação ou um profissional jovem que sofre um acidente e tem a mão amputada. Frustrações e mudanças repentinas de planos acontecem sem aviso prévio. Como sobreviver a situações como essas?

> Quando admitimos nossa impotência, estamos abrindo a alma para viver o caos com os recursos divinos.

Quando Habacuque decide subir à torre de vigia à espera da resposta de Deus, o profeta toma a decisão mais significativa para dar descanso à sua alma. Subir à torre de vigia significava admitir a própria impotência para lidar com as dores, perguntas e situações. Quando admitimos nossa impotência, estamos abrindo a alma para viver o caos com os recursos divinos.

Ao subir à nossa torre de vigia, não estamos lançando mão do último recurso, mas praticando a maior ação e a mais singular de que somos capazes. Recolher-se para orar continua sendo o recurso mais poderoso que Deus nos concedeu, especialmente quando o *tsunami* que nos envolve é maior que a força individual.

Esperar a resposta do Senhor em salas de espera é deixar de conhecê-lo apenas intelectualmente para conectar-nos a ele emocional e espiritualmente. A vida de Habacuque parecia estar em *pause*. Celina também se sentia assim. Habacuque tomou a decisão certa, mas Celina ainda estava em choque. O fato é que, cedo ou tarde, como fruto de sua graça, o Pai nos encontrará nas salas de espera, a fim de demonstrar seu amor.

"Esperar pelo Senhor" é um dos conceitos mais comuns na Palavra de Deus, pois a prática dessa disciplina destrói nossa tendência imediatista de desejar ter nas mãos o controle de tudo. É difícil esperar pelo Senhor, mas pior é tentar ser como Deus e, assim, tentar controlar algo que está acima de nossa capacidade. Por isso, a decisão de Habacuque, de correr para sua sala de espera, foi a mais sábia possível. Não deveríamos nós fazer o mesmo?

O verbo, em hebraico, que Habacuque usa e foi traduzido por "esperar"[1] carrega um sentido muito especial para o contexto que ele vivia. Significa olhar atentamente, espreitar, observar a situação como uma sentinela numa torre de vigia, que, ao perceber um movimento estranho, fica atento para compreender o que está ocorrendo e intervir, se necessário. Portanto, a decisão de Habacuque de esperar significava que ele ficaria atento às ações de Deus.

Não se trata, portanto, de uma atitude passiva ou de resignação. Não podemos ir à sala de espera com a desconfiança de que Deus saiu de cena, e simplesmente aceitar a situação como se nada mais pudesse ser feito. Ao contrário. Nossa atitude deve ser como a do agricultor, que em tempos de seca olha constantemente para o horizonte com a certeza de que, cedo ou tarde, a chuva virá. Esperar em Deus não é ser passivo. É viver na expectativa, atento ao que Deus fará e com a

66 A SALA DE ESPERA DE DEUS

certeza de que o Senhor, embora possa parecer silencioso, na realidade está em movimento, agindo longe de nossos olhos. Por isso, quando corremos para a sala de espera, podemos ter convicção de que lá encontraremos o Todo-poderoso. Esse entendimento afasta de nós toda ansiedade, pois, em vez de focar o problema, focamos a pessoa de Deus.

Lembre-se de que o amor dele por nós não muda, mesmo que nosso amor por ele possa mudar em razão de não entendermos o que ele está fazendo em determinado momento.

Tempo, esperança e paciência

Uma torre de vigia era o lugar onde as sentinelas ficavam para desempenhar seu papel. Salmos diz: "Espero no Senhor, sim, espero nele; em sua palavra, depositei minha esperança. Anseio pelo Senhor, mais que as sentinelas anseiam pelo amanhecer; sim, mais que as sentinelas anseiam pelo amanhecer" (Sl 130.5-6). Vemos aqui, juntos, o conceito de esperar no Senhor e o de esperança. Nossa espera por Deus deve ser similar à espera das sentinelas pelo amanhecer. Elas não têm relógio, mas têm certeza de que o sol raiará e o dia chegará.

Se não conhecemos o caráter de Deus, podemos ter apenas expectativas sobre o que Deus pode fazer ou fará por nós. Mas, se sabemos e confiamos que ele é soberano, que nada foge ao seu controle e nada nos separa de seu amor, por mais que a tempestade seja incontrolável, descansamos na certeza de que no tempo certo ele intervirá. "Ali esperarei para ver o que ele diz". Esperança, pois, é certeza.

Mas a decisão de Habacuque de esperar em Deus carrega em si, além dos conceitos de tempo e esperança, o de paciência. Depois de semear, um agricultor precisa esperar,

SOLITÁRIOS, MAS COM DEUS NA SALA DE ESPERA **67**

sem desistir. Bem que gostaria que o fruto surgisse no dia seguinte, mas ele precisa ter paciência, isto é, submeter-se aos processos que Deus criou para o correto funcionamento da natureza. Assim, em vez de brigar com a natureza ou mesmo amaldiçoá-la pela demora, o agricultor viverá de forma mais saudável se humildemente submeter-se aos processos da lei da agricultura.

Assim deveria ser conosco quando Deus nos coloca ou nos permite sentar numa sala de espera. Humildade, então, torna-se palavra-chave para o exercício da paciência. Humildade carrega o sentido de aceitar o que o superior nos pede que sejamos ou façamos, mesmo quando não compreendemos o que motiva seu pedido. Somos humildes quando admitimos que nos submetemos à vontade e aos processos de Deus apesar de não compreendê-los. Somos humildes quando reconhecemos nossa incapacidade ou impotência de lidar com a situação, e aceitamos o fato de que Deus a controla. E, por crer assim, não perdemos a esperança, nem o tempo se torna fonte de ansiedade. Esperamos com paciência.

Deus usa o tempo para produzir em nós a pérola que deseja. Dizer-lhe que seu tempo é muito longo é arrogância nossa. Já imaginou uma pérola dizer ao Criador: "Por favor, apresse o processo, não aguento mais!". Se lhe fosse possível dizer tal coisa, talvez ela ouvisse a resposta: "Está bem, mas se eu apressar o processo você não ficará tão valiosa ou bonita". Lembremos do patriarca Jó, cuja paciência se depreende claramente de suas palavras: "quando ele me provar, sairei puro como o ouro" (Jó 23.10). Nessa afirmação, encontramos juntos a certeza da ação divina e o acolhimento do tempo de Deus.

Sim, Deus lança mão de decepções e perdas para nos ensinar. Foi desesperador para Jó perder seus bens. Certamente, mais desesperador ainda foi enterrar seus filhos. Será que há alguma dor pior para um pai ou uma mãe do que enterrar um filho, quando o normal é os filhos enterrarem os pais? Porém, a atitude de Jó foi não culpar Deus (Jó 1.22). Ao contrário. Foi humilde para, pacientemente, esperar a intervenção divina, que ele não sabia quando ocorreria.

Humildade significa, portanto, aceitar os processos do Senhor submetendo-se a eles pela fé. Enquanto "aceitar", apenas, pode comunicar passividade ou resignação, "aceitar submetendo-se" comunica proatividade em permanecer nos caminhos de Deus. E, por causa da humildade, o Espírito Santo trabalha em nós a paciência, que é uma das virtudes do fruto do Espírito (Gl 5.22).

A humildade nos traz ao mesmo tempo uma sensação de descontrole, pois passamos o controle da situação para as mãos de Deus e deixamos que ele leve o tempo necessário para agir em nossa vida, usando as circunstâncias a fim de realizar seus propósitos. É a partir daí que a paciência divina se desenvolve dentro de nós.

Deus estava realizando uma obra maravilhosa no meio do seu povo e na vida de Habacuque (Hc 1.5-6). Quando colocamos tempo, esperança e paciência aos pés de Jesus, é como se estivéssemos dizendo a Deus: "Não entendemos nada, estamos até sofrendo, mas nos entregamos aos teus cuidados e esperaremos pelo que vais nos dizer". Foi isso que Habacuque fez quando resolveu subir à torre de vigia e ali esperar a resposta divina às suas queixas.

Celina ainda não conseguia experimentar essa realidade. Joás a deixara havia pouco tempo. Ela não tinha o poder de trazê-lo de volta; tampouco de transformá-lo em um homem heterossexual. Ela não sabia como Deus estava agindo na vida do seu marido; assim, a única atitude para aquele momento era admitir que estava numa sala de espera e que precisava subir para a torre de vigia. A questão é que nem sempre isso acontece rapidamente. Como foi com Habacuque, há um processo a respeitar.

Recebi um telefonema de uma família querida com a notícia: "Lisânias, meu pai teve um enfarte e está a caminho do hospital. Por favor, ore, não saberemos viver sem ele". Será que isso é verdade? Não temos como viver sem a pessoa que mais amamos? Passaremos pela dor da perda, se for o caso, mas descobriremos que pôr o foco em Deus e encontrar com ele na sala de espera será algo de impacto eterno que nunca experimentaríamos em outro lugar.

> Passaremos pela dor da perda, se for o caso, mas descobriremos que pôr o foco em Deus e encontrar com ele na sala de espera será algo de impacto eterno que nunca experimentaríamos em outro lugar.

Estou certo de que a atitude de Habacuque deveria ser a de Celina, que é a mesma que devemos ter quando recebemos um diagnóstico de câncer, quando uma carreira gloriosa se encerra ou quando uma filha adolescente diz aos pais que está grávida. Tempo, esperança e humildade estão por trás do "esperar na torre de vigia".

Atitudes na sala de espera

Não temos o poder ou o controle para fugir do inesperado que nos leva aonde é difícil esperar. Depois de 25 anos no ministério pastoral, conheço quase todas as salas de espera dos hospitais de São Paulo, bem como a maioria das UTIs da nossa cidade. Minha esposa e eu caminhamos ao lado de queridos irmãos e irmãs em momentos de dor e desespero. Mas, também, vivemos a alegria de crescer com vários outros que viveram tempos prolongados em sua sala de espera, não somente em hospitais, mas em casa, enquanto esperavam a intervenção de Deus em sua história. Em cada caso, ficou claro que a atitude que se toma em cada circunstância contribui profundamente para que o tempo nessas salas seja proveitoso e que a experiência com Deus seja significativa.

Habacuque conversou com o Senhor sobre o que estava sentindo. Nessas conversas, ele construiu uma relação com Deus até então inédita. Conversar com o Senhor alivia a alma, conecta-nos mais profundamente com ele e move-nos para frente na jornada com Deus. O profeta decidiu esperar em Deus, mas também tomou outras decisões que compuseram um cenário muito próprio e significativo, tornando seu tempo na sala de espera um período pleno das marcas da graça do Todo-poderoso. De sua torre de vigia, Habacuque não focava o problema, mas o que o Senhor queria dizer-lhe e realizar em sua vida.

Em nossa torre de vigia, precisamos ver os problemas da perspectiva divina. Lembro da primeira vez em que fui ao Museu do Ipiranga, em São Paulo. Eu me deliciei quando vi a pintura fantástica de Pedro Américo intitulada *Independência ou morte*, quadro que retrata a proclamação da independência do Brasil. Emocionei-me quando, de uma certa distância, pude ver os detalhes significativos da obra desse grande artista brasileiro. A distância me permitiu ter uma perspectiva muito mais ampla do todo, uma visão quase imperceptível de uma observação mais próxima.

Ver as circunstâncias da perspectiva divina é crucial para que possamos crescer na sala de espera e usufruir da presença e do amor de Deus conforme ele deseja se revelar a nós. Foi assim que o apóstolo Paulo nos encorajou a ver as circunstâncias quando escreveu, numa referência a Isaías 64.4: "Olho nenhum viu, ouvido nenhum ouviu, e mente nenhuma imaginou o que Deus preparou para aqueles que o amam" (1Co 2.9). Habacuque não tinha essa compreensão clara dos processos divinos, mas tomou a decisão certa ao subir à torre de vigia e ficar atento ao que Deus faria. Se Deus nos escolheu antes da fundação do mundo para ser santos e irrepreensíveis perante ele, se nos predestinou para a adoção como filhos, teria ele terminado sua obra em nós? Teria nos abandonado à própria sorte? Certamente não.

Assim, ver as circunstâncias por uma perspectiva divina implica crer que Deus está agindo no processo que estou enfrentando. O resultado vai além da nossa imaginação. Quando o povo de Israel se viu encurralado entre o mar Vermelho e o exército do faraó, a sensação foi de desespero. Mas Deus usou aquela circunstância aparentemente insolúvel para mostrar ao povo o seu poder. O Senhor tinha uma saída que os israelitas jamais cogitariam. Na realidade, ele estava preparando algo que ouvidos jamais ouviram e olhos jamais viram.

> O Senhor tinha uma saída que os israelitas jamais cogitariam. Na realidade, ele estava preparando algo que ouvidos jamais ouviram e olhos jamais viram.

Quando José, filho de Jacó, soube dentro de um poço que os próprios irmãos o venderiam como escravo, ele não podia imaginar o que de belo Deus estava planejando para sua vida. O Senhor estava preparando algo difícil de ver naquele momento, mas em tudo o seu amor estava presente. O poço não foi o fim da vida de José, em vez disso, do fundo do poço, ele foi levado ao topo do reconhecimento na corte do faraó. Levou muitos anos, mas Deus não se esqueceu de José. Tempo, paciência e esperança fizeram parte de sua história.

Da mesma forma, quando Joquebede produziu um cesto de vime e nele colocou Moisés, ela certamente não tinha consciência de que Deus estava conduzindo seu filho caçula para as mãos da princesa do Egito e que faria dele o libertador do povo de Israel. Deus transformou a dor de uma mãe em uma experiência de graça e amor (Êx 2.1-14). Mais tarde, Moisés passou quarenta anos na sala de espera do deserto de Midiã, onde Deus o preparou para se tornar o maior líder que a nação já conhecera. Foi no deserto, na longa solidão da sala de espera, que, mesmo sem saber, Moisés estava sendo talhado para se tornar o homem que Deus queria que ele fosse (Êx 2.11—4.29).

Vinte e sete anos atrás, vivi um processo depressivo. Até então, por falta de conhecimento ou por orgulho, eu acreditava que depressão fosse resultado de algum pecado. Embora esse diagnóstico mexesse muito com meu orgulho, foi um dos processos de Deus em minha vida que mais me preparou para o ministério a que ele me conduziria como pastor da igreja onde estou hoje. Foram meses difíceis, nebulosos, exaustivos, situação que nunca mais quero ter de enfrentar. Mas Deus estava me tratando de algo que eu precisava mudar a fim de avançar nos planos que ele tinha para minha vida. Ele estava realizando em mim algo que meus olhos nunca haviam vislumbrado nem meus ouvidos escutado.

Quando crises, decepções e catástrofes nos assolam, precisamos de tempo para assimilar. No entanto, em determinado momento, precisamos decidir se continuamos a focar o problema e a questionar Deus ou subimos à torre de vigia, na tentativa de enxergar as circunstâncias pela perspectiva divina. A

SOLITÁRIOS, MAS COM DEUS NA SALA DE ESPERA **73**

segunda opção implica crer que Deus não só tem propósitos para o que não entendemos, mas que isso é parte de tudo o que ele está preparando para nós. José não entendeu, nem Joquebede, tampouco Moisés. Mas chegou o dia em que experimentaram algo que nunca tinham ouvido, visto ou imaginado.

Com certeza a oração mais natural para Celina seria: "Pai, traz meu marido de volta, e como heterossexual". O que Habacuque desejava era que os babilônios não fossem usados por Deus. Mas será que Deus não estava pensando em algo além disso? A perspectiva divina procura ver além do problema, tal qual uma sentinela que não olha apenas os arredores da cidade, mas perscruta o horizonte.

Na situação de Habacuque, o que seria mais importante: o povo ser curado do pecado, passando pela humilhação de uma nação perversa invadir o país, ou permanecer na escuridão porque ser disciplinado pelos babilônios era vergonhoso? Será que, no caso de Celina, o fato de Deus permitir a escolha de Joás não teria um propósito maior, mais adiante?

Quando nos vemos em uma sala de espera, é inescapável pensar: "Senhor, tenho feito alguma coisa errada que desejas me mostrar?". Esse também foi o questionamento de Davi: "Examina-me, ó Deus, e conhece meu coração; prova-me e vê meus pensamentos. Mostra-me se há em mim algo que te ofende e conduze-me pelo caminho eterno" (Sl 139.23-24). Quando procuramos enxergar nossas circunstâncias difíceis a partir da perspectiva divina, dizer: "Sonda-me, ó Deus. Examina-me, ó Deus" torna-se uma oração corajosa.

Habacuque podia não entender o processo escolhido por Deus para punir a nação, mas isso não significava que a sabedoria de Deus não estava em ação. Precisamos relembrar sempre que, seja qual for a razão que nos leva a uma sala de espera difícil de suportar, Deus está ali conosco, tratando-nos interiormente e procurando dar-nos mais do que o alívio da dor. Como bem resume Mark Ellis, Deus não deixa de agir só porque não enxergamos o que ele está fazendo.[2] Encarar o pecado, reconhecer ídolos interiores e ver os processos de Deus pela perspectiva divina são atitudes que nos ajudam a sobreviver numa temporada, prolongada ou curta, na sala de espera.

Gosto de uma afirmação que li nos estudos da *Bíblia Sagrada Na Jornada com Cristo*: "Ser cristão não nos isenta de sofrer. Você vai sofrer. Não deixe que o enganem, prometendo-lhe o contrário".[3] Ela reflete as palavras de Paulo sobre o propósito de seu sofrimento: "Considero que nosso sofrimento de agora não é nada comparado com a glória que ele nos revelará mais tarde"

> **Encarar o pecado, reconhecer ídolos interiores e ver os processos de Deus pela perspectiva divina são atitudes que nos ajudam a sobreviver numa temporada, prolongada ou curta, na sala de espera.**

(Rm 8.18). O termo grego, traduzido por "considerar", significa "levar em conta", "pensar seriamente", "estar totalmente convicto", "ter uma opinião forte" a respeito do assunto sobre o qual se está falando.[4]

Significa que, seja diante do sofrimento seja nas salas de espera da vida, nossa atitude precisa ser a mesma. Pode ser que a mudança de situação que Deus esteja planejando para nós ocorra daqui a alguns meses, mas pode ser que leve muitos anos. Esse texto de Romanos certamente considera o que Deus nos reserva no futuro, quer na volta de Jesus, quer nos novos céus e na nova terra. E, com essa verdade, precisamos nos lembrar de que a vida aqui na terra pode durar, quem sabe, até 100 anos. Mas e a vida eterna com Deus? As dores que nos levaram à sala de espera são ínfimas quando comparadas com o que Deus tem preparado para nós na eternidade.

A sala de espera nos desafia à perseverança e à fé

A torre de vigia à qual Habacuque subiu tinha uma função militar. A sentinela estava ali para avisar sobre perigos iminentes. Ao seu grito, a cidade ou o exército da cidade poderia iniciar uma mobilização capaz de enfrentar o inimigo que estava a caminho.

A frase de Habacuque, "Subirei até minha torre de vigia e ficarei de guarda", carrega forte tom militar. Enquanto estivesse na torre de vigia, a sentinela podia enfrentar frio, calor, enfado, cansaço, decepções, fome, perigo ou o que fosse, mas jamais lhe seria permitido abandonar seu posto. Habacuque estava dizendo que tomaria uma posição firme, custasse o que custasse.[5]

Quando ficamos muito tempo sob a pressão de circunstâncias doloridas, nos cansamos e, não raro, vem a vontade de desistir. A longa espera pela ação divina e o cansaço levantam questões como: "Vale a pena continuar esperando em Deus?", e com isso muitas vezes deixamos de ler a Bíblia e de orar. Resolvemos "dar um tempo" em atividades como, por exemplo, servir às pessoas e envolver-nos no ministério que desenvolvíamos na igreja. Perdemos a vontade de testemunhar, pois nos soa como ficção, e não queremos ser hipócritas. Se frequentávamos um pequeno grupo de comunhão e estudo bíblico, a tendência é afastar-nos, pois não temos muitas bênçãos para contar, apenas perguntas e, até, murmurações. E assim vamos perdendo a oportunidade de crescer e de ser consolados pelo compartilhamento das dores com os irmãos.

76 A SALA DE ESPERA DE DEUS

Não temos como negar que tempos prolongados na sala de espera nos desgastam e nos roubam o vigor. O apóstolo Paulo passou por momentos assim: ele foi traído e perseguido, enfrentou um naufrágio, passou fome e sofreu no corpo as dores da perseguição.

> Servimos quer as pessoas nos honrem, quer nos desprezem, quer nos difamem, quer nos elogiem. Somos chamados de impostores, apesar de sermos honestos. Somos tratados como desconhecidos, embora sejamos bem conhecidos. Vivemos à beira da morte, mas ainda estamos vivos. Fomos espancados, mas não mortos. Nosso coração se entristece, mas sempre temos alegria. Somos pobres, mas enriquecemos a muitos outros. Não possuímos nada e, no entanto, temos tudo.
>
> 2Coríntios 6.8-10

Paulo descreve seus sentimentos e ações durante os longos períodos na sala de espera, mas sem desistir. Em termos meramente humanos, o apóstolo perdeu muita coisa ao abandonar a vida anterior para se dedicar a Cristo. Esse também é o nosso desafio. Quando somos tentados a desistir de confiar, que talvez seja nosso maior desafio sob a pressão do tempo, precisamos lembrar que o tempo é de Deus e que ele tem sempre propósitos maravilhosos para nossa vida, e por isso vale a pena ficar de guarda na sala de espera.

Como será que Celina ficaria na torre de vigia dela? Ficaria de guarda? Será que se conscientizaria de que aquilo que Deus tinha para ela no futuro próximo ou na eternidade não se compararia com o sofrimento de ter sido abandonada pelo marido? E você e eu, estamos sendo tentados a desistir de ficar na sala de espera? Habacuque tem mais a nos dizer, mostrando como Deus nos leva do desespero à esperança.

O profeta havia subido à torre de vigia para esperar uma resposta de Deus, e ela não foi a que Habacuque esperava. Apesar disso, em vez de diminuir, sua confiança foi revigorada, pois Deus não o deixou sem resposta. Ele é soberanamente amoroso para fazer o que deseja, mas também nos dá liberdade para orar enquanto esperamos sua ação.

Habacuque não demonstrou desapontamento. Sua experiência o fez saber que Deus lhe daria a estabilidade de que precisava. Deus ordena ao profeta que escrevesse em tábuas aquilo que ele lhe estava revelando: ainda que o cumprimento da profecia parecesse tardio, suas palavras se tornariam realidade e os babilônios viriam. Crer nisso exigia fé e fidelidade.

Fé é fundamental para sobrevivermos por períodos prolongados na sala de espera. A linguagem usada por Deus com Habacuque pode até parecer insensível, mas o Senhor estava produzindo uma obra maravilhosa em sua vida. Deus passa a descrever os babilônios e, ao mesmo tempo, a discorrer sobre o que ele esperava ver na vida dos que o têm como Deus. "Olhe para os arrogantes, os perversos que em si mesmos confiam; o

> [Deus] é soberanamente amoroso para fazer o que deseja, mas também nos dá liberdade para orar enquanto esperamos sua ação.

justo, porém, viverá por sua fidelidade a Deus" (Hc 2.4). Em outras traduções da Bíblia, "o justo viverá pela fé". O que isso significa?

Para entender, no contexto, o viver pela fé, precisamos lembrar que o profeta conhecia a aliança de Deus com Abraão (Gn 15). O Senhor havia prometido que faria uma grande nação da descendência do patriarca, cujos membros seriam mais numerosos que as estrelas do céu. Era uma promessa incondicional e, como tal, não tinha como falhar. Portanto, embora os babilônios viessem punir a nação, isso não significava seu aniquilamento. Certamente, esse evento não estava muito claro para Habacuque, mas ele devia ter em mente o que o profeta Isaías dissera: "'Meus pensamentos são muito diferentes dos seus', diz o Senhor, 'e meus caminhos vão muito além de seus caminhos'" (Is 55.8).

Nossa obediência a Deus não pode estar atrelada ao fato de compreendermos ou não suas ações. Fé e fidelidade significam permanecer em obediência simplesmente por saber que o Senhor não muda e suas promessas serão cumpridas! E, justamente porque Deus é fiel em suas promessas, podemos ser fiéis a ele e ter fé nele. Portanto, no contexto de Habacuque 2.4, viver pela fé significa ser fiel a Deus simplesmente pelo que ele é. No original em hebraico, a ideia é de firmeza, permanência, estabilidade, confiança. Fé não está alicerçada em sentimentos ou mera crendice. Fé se baseia na certeza de que o Senhor é soberano para realizar o que prometeu. Por conhecer o Deus que se aliançara com seu povo, Habacuque podia confiar em suas palavras. Abraão creu no que Deus disse, o que fez dele um homem justo (Rm 4.3), e o profeta seguiu seu exemplo.

Essa justiça, no entanto, é fruto da ação de Deus na vida de Abraão, e não mérito deste. Quando resolvemos crer em Jesus como suficiente Salvador para perdoar nossos pecados, tornamo-nos justos diante de Deus, não por nosso mérito, mas por aquilo que Cristo fez por nós. Ter sido justificado pela fé ou viver pela fé implica admitir que não podemos atingir, por nós mesmos, o padrão de santidade que Deus deseja para nossa vida e, por isso, merecemos punição. Mas Jesus recebeu-a em nosso lugar e, porque cremos nele, nossa punição é cancelada, e somos perdoados e inocentados.

Quando confiamos no que Deus diz, mesmo em meio à catástrofe do caos, à ansiedade e ao medo, nosso andar é fiel a ele e permaneceremos obedientes. Ainda que tenhamos momentos de questionamento, nosso caráter não ficará comprometido. Continuaremos a fazer o que Deus deseja, apesar das lutas internas, que nos pressionam a duvidar do seu amor. O que faz um justo atravessar o caos e não se desesperar na sala de espera é a certeza de que Deus está com ele, mesmo que não sinta. Fé não carrega em si a ideia de ausência de medo, mas a certeza da presença de Deus e de que ele proverá os recursos para vencer o medo e sobreviver ao caos.

Quando fomos encorajados a abortar nosso segundo filho, de vez em quando o medo de que minha esposa viesse a falecer me assaltava. Mas o que me dava força para chegar até o dia do parto era saber que Deus nos sustentaria se nosso filho morresse e que ele me sustentaria se minha esposa e meu filho morressem.

> Fé não carrega em si a ideia de ausência de medo, mas a certeza da presença de Deus e de que ele proverá os recursos para vencer o medo e sobreviver ao caos.

O Senhor nunca nos prometeu que não teríamos aflições por sermos filhos dele; muito pelo contrário, Jesus nos garantiu que no mundo teríamos aflições. Porém, por sermos filhos de Deus, o Senhor nos ama incondicionalmente. E ele nos prometeu estar conosco sempre.

Por causa de seu caráter imutável e de seu amor incondicional, Deus nos encoraja a ter uma confiança inabalável, como diz Maurício Zágari em seu livro *Confiança inabalável*,[6] uma confiança que Deus chama de *fé*. Por isso, o autor de Hebreus escreveu: "'Meu justo viverá pela fé; se ele se afastar, porém, não me agradarei dele'. Mas não somos como aqueles

80 A SALA DE ESPERA DE DEUS

que se afastam para sua própria destruição. Somos pessoas de fé cuja alma é preservada" (Hb 10.38-39).

Citando o profeta Habacuque, o autor da carta aos Hebreus nos desafia a não desistir de confiar em Deus em tempos de perseguição ou sofrimento. A preservação da vida é fruto dessa confiança em Deus. Justamente por ter acesso ao Senhor, por meio de Jesus, podemos pedir-lhe ajuda para não esmorecer na sala de espera.

Era desanimador para Habacuque ouvir que um povo arrogante, perverso e autossuficiente tocaria no povo escolhido de Deus. Mas era como se o Todo-poderoso estivesse dizendo a seu profeta: "Habacuque, confie em mim, pois eu sei o que estou fazendo".

Quando um pai espera o filho livrar-se do domínio das drogas ou uma esposa ora para que o marido a trate de maneira diferente e as respostas tardam, eles precisam manter o foco nas palavras de Deus: "Vivam confiando em mim". Portanto, a esperança de um dia sair da longa estada na sala de espera é fruto da decisão de continuar na firme e inabalável decisão de confiar em Deus. Quando Habacuque decidiu subir à torre de vigia, ele estava dizendo: "Vou ficar a sós com Deus para ouvir o que ele tem a me dizer". Em outras palavras, ele estava afirmando: "Vou parar de perguntar e começar a orar". Sim, na sala de espera descobrimos o poder da oração, que se tornou concreto na vida de Habacuque ao subir à torre de vigia.

Foi numa manhã de sala de espera que minha esposa me trouxe da parte de Deus um profundo encorajamento. Ela havia escrito em seu diário de oração: "Abençoa-me no tempo contigo, meu Pai poderoso". Estar a sós com Deus é nossa bênção diária, que nos dá o alimento para sobreviver, juntos, nas salas de espera. Ao longo dos anos, temos descoberto que maior que a resposta às nossas orações é a presença do Senhor. Nosso coração está firme em Deus por causa de quem ele é, e por isso podemos adorá-lo e louvá-lo.

Em nosso tempo de oração na sala de espera, percebemos como Deus nos leva do desespero à esperança, como a fé é desenvolvida e fortalecida, isso nos faz ver que a esperança não desaponta.

4
O mundo fora da sala de espera

Violência, maldade e corrupção

João Carlos era um aluno brilhante de uma famosa escola de tecnologia e ciência do seu estado natal. Desde criança, sempre se encantara com a ciência da informação e, já nos primeiros anos de faculdade, desenvolvia aplicativos para *smartphone*. Dois anos depois de formado, desenvolveu, em parceria com dois colegas de classe, um aplicativo que chamou atenção de várias empresas e de um investidor. Parecia que o sonho se tornaria realidade. O investidor deu apoio ao projeto, garantiu total suporte financeiro durante o desenvolvimento do aplicativo e foi se familiarizando com ele.

Findo o projeto, o investidor desistiu da ideia e, ainda, levou para outro grupo de desenvolvedores todas as coordenadas e o segredo contidos na ideia de João Carlos. Com isso, ele e seus amigos perderam o projeto, o dinheiro e os quase três anos de trabalho árduo de pesquisa e desenvolvimento. Os três companheiros cresceram na igreja, onde cuidavam de um grupo de universitários. Decepcionados, começaram a se perguntar por que Deus permitira isso.

Habacuque conviveu com sentimentos e pensamentos semelhantes. No capítulo 2 de seu livro, o encontramos à espera de uma resposta de Deus às suas perguntas. Embora o Senhor lhe reafirme que usará os babilônios para punir o reino de Judá, a descrição da maldade daquele povo dá esperança ao profeta.

Como João Carlos, que viu o ex-investidor roubar seu projeto e ganhar muito dinheiro com ele, todos enfrentaremos situações em que a dor será a mesma de sentir os "babilônios" no encalço. O ex-investidor de João Carlos tornou-se uma espécie de babilônio para João. Como ele poderia lidar com a perversidade do coração daquele que o havia enganado?

Para responder a isso, precisamos, antes, entender que toda maldade se deve à presença do pecado no coração humano. Seria simples atribuir a Deus a responsabilidade pela maldade do mundo, uma vez que é fato que ele é soberano e controla todas as coisas. Porém, não podemos esquecer que o homem tem responsabilidade pelos seus atos. Atos pecaminosos, contudo, não impedem nem mudam os planos de Deus. Ao contrário, ele os usa, sem que isso nos exima de nossa responsabilidade. O Criador não criou o mal. Ele é consequência da desobediência da humanidade, que o pratica porque é pecadora.

Nossa permanência na sala de espera pode decorrer do mal presente no mundo ou da atuação direta dele em nossa vida. Os babilônios, o ex-investidor de João Carlos e o motorista que provocou o acidente envolvendo Joubert podem ter cometido erros diferentes, com consequências diferentes, mas todos praticaram o mal simplesmente porque são pecadores (Rm 3.23).

Arrogância e idolatria

Os babilônios seriam usados por Deus apesar do seu estilo pecaminoso de vida. É interessante notar que Deus revela a Habacuque o que estava por trás da maldade daquele povo e, em última análise, da maldade de todos: *arrogância* e *idolatria*.

A pessoa arrogante guarda um vazio e procura preenchê-lo com qualquer coisa que a satisfaça, expanda seu ego, inche seu interior. Tristemente, esse processo gera escravidão, queda e morte. Via de regra, as ações que tentam preencher esse vazio são egoístas, caracterizadas por autossuficiência, vaidade excessiva, busca por poder, controle, riqueza, domínio, autoridade, sucesso e destaque, desejo por fama e superioridade. Nas igrejas, vemos isso no líder religioso que se preocupa com números, poder de influência, convites para conferências teológicas, reconhecimento de famosos do meio cristão e coisas semelhantes.

Por serem metas que não alimentam, a fome do orgulhoso, altivo, soberbo nunca é debelada. Ele sofre de um problema egocêntrico fatal, pois tenta saciar-se na fonte errada. Sua busca por satisfação interior nunca é satisfeita e essa insaciedade o leva a caçar presas que possa engolir e dominar. Era assim que os babilônios agiam: "A riqueza é traiçoeira, e os arrogantes nunca descansam. Escancaram a boca como a sepultura e, como a morte, nunca se saciam. Em sua cobiça, ajuntaram muitas nações e engoliram muitos povos" (Hc 2.5).

Essas palavras, que se referem em primeiro plano aos babilônios, carregam inquietante semelhança com o que vemos hoje: governantes ou líderes políticos dando e recebendo propinas, florestas sendo derrubadas por interesses econômicos, pessoas com vida sexual desenfreada, todas ações de uma humanidade orgulhosa, que tenta de tudo para saciar o vazio da alma. A fome para satisfazer o ego do arrogante é tão grande que ele mesmo, julgando-se autossuficiente, coloca-se no lugar de Deus e não sente necessidade de prestar contas a ninguém. A lei do soberbo toma por medida ele mesmo; os princípios e valores de Deus são esquecidos e rejeitados como abominação.

A fome insaciável de poderio econômico levou o ex-investidor de João Carlos a desconsiderar a palavra empenhada e esquecer os limites de Deus, estabelecendo critérios próprios.

Com isso, prejudicou João e o levou à sala de espera. As ações dos babilônios e do ex-investidor diferem na prática, mas são o mesmo na essência: orgulho, arrogância, soberba.

O orgulho não só nos afasta de Deus, mas nos faz esquecer daquilo que realmente nos preenche: Jesus. Deixamos de buscar o melhor de Deus para nós. O texto de Provérbios 6.16-19 nos mostra que a arrogância encabeça a lista das coisas que Deus detesta:

> Há seis coisas que o Senhor odeia, ou melhor, sete coisas que ele considera detestáveis: *olhos arrogantes*, língua mentirosa, mãos que matam o inocente, coração que trama a maldade, pés que se apressam em fazer o mal, testemunha falsa que diz mentiras, e aquele que semeia desentendimento entre irmãos.

Mas a arrogância não era o único problema por trás do estilo de vida perverso dos babilônios. Junto a esse espírito orgulhoso estava a idolatria:

> De que vale o ídolo esculpido por mãos humanas, ou a imagem de metal que só os engana? Como é tolo confiar em sua própria criação, num deus que nem sequer é capaz de falar! Que aflição espera vocês que dizem a ídolos de madeira: "Despertem!", e que dizem a imagens mudas de pedra: "Levantem-se!". Acaso um ídolo pode lhes dizer o que fazer? Apesar de serem revestidos de ouro e prata, não há vida dentro deles. O Senhor, porém, está em seu santo templo; toda a terra cale-se diante dele.
>
> Habacuque 2.18-20

Os babilônios adoravam imagens esculpidas em metal por mãos humanas. Deus afirma que esses ídolos não têm valor e é tolice confiar neles. Os babilônios tentavam falar com eles, inutilmente. Seu valor monetário não mudava a impossibilidade e incapacidade de orientar o povo. Podemos até considerar essas pessoas pouco inteligentes, mas será que nós mesmos, em pleno século 21, também não erigimos ídolos ou proclamamos deuses?

Um deus é uma espécie de fonte de onde procuramos retirar ou receber aquilo que nos dá satisfação, direção, provisão, proteção e propósito de vida. Quando os encontramos, o coração se enche e experimentamos satisfação, mesmo que ilusória ou passageira. Os babilônios construíram deuses de prata e ouro, mas não estavam encontrando naquelas estátuas satisfação, direção, provisão, proteção nem propósito. Por isso adotaram um estilo de vida cheio de violência, extorsão e corrupção. Por quê? Porque a satisfação desejada só pode ser encontrada em Deus, por meio de Cristo. A busca deles se resumia ao vento, algo que não trazia preenchimento nem realização permanente.

Hoje, não nos curvamos a ídolos construídos por mãos humanas, mas não temos medo de riscar da agenda o tempo que deveria ser dedicado aos filhos, ao cônjuge ou a Deus para usá-lo no que for preciso para receber uma promoção, ganhar mais dinheiro ou obter mais destaque e poder. Em contrapartida, a família pode se tornar o maior ídolo que guardamos no coração, pois a fome por uma família feliz gera orgulho e idolatria. Se cremos que a fonte de nossa felicidade são o cônjuge e os filhos, em vez de Deus, estamos idolatrando. Não existe nada errado em ter uma família feliz ou querer subir rapidamente alguns degraus no universo corporativo, o problema é transformar tais coisas em "deuses". Entre cristãos, às vezes, o ídolo não está na família perfeita, mas na moralidade perfeita. Queremos ser crentes perfeitos, como se fôssemos justificados não pela fé, mas pelo comportamento. Se somos moralmente irrepreensíveis, cremos que estamos justificados e acabamos discriminando aqueles que falham.

Os babilônios também eram conhecidos por se embriagar continuamente com bebidas fortes, momentos em que criavam uma atmosfera para práticas lascivas (Hc 2.15). Até mesmo o sexo pode se tornar um deus quando deixamos de lado o fato de que ele é um presente para ser usufruído no casamento ou quando fazemos dele nossa maior fonte de satisfação. Ao transformar uma mentira em verdade, como os babilônios, tornamos as pessoas reféns. Damos "bebida forte" ao outro, para usá-lo. E nem sempre se trata de álcool, mas de manipulação, bajulação e sedução com palavras doces e enganadoras. O problema é que alguns ídolos, como o sexo, embora promovam prazer imediato, geram em seguida o vazio.

Hoje há muitas outras coisas que assumiram o papel de ídolos: o controle, o dinheiro, a estética e a individualidade. Nada disso é ruim em si. Não existe erro em querer manter um corpo sarado, trocar de casa ou de carro, sonhar com uma família normal e ajustada, ter um orçamento sob controle e coisas do gênero. O problema é quando essas coisas se tornam mais importantes que Deus em nossa vida.

Um ídolo do coração é qualquer coisa que imaginamos sem a qual não podemos viver. Tim Keller escreveu em seu livro *Deuses falsos* que um ídolo do coração "tem uma posição de controle tão grande em nosso coração que seremos capazes de gastar com ele a maior parte de nossa paixão e energia, nossos recursos financeiros e emocionais, sem pensar duas vezes".[1]

Os problemas de hoje não são diferentes daqueles que os babilônios personificavam. Esse povo, o ex-investidor de João Carlos e nós somos orgulhosos e idólatras. Não há como negar. No entanto, quando agimos com arrogância ou lançamos mão

88 A SALA DE ESPERA DE DEUS

de ídolos enquanto estamos numa sala de espera, a situação se agravará e certamente nos impedirá de sair dela saudáveis.

A boa notícia é que Deus tem a solução para a arrogância e a idolatria humana.

Deus lida com a arrogância e a idolatria

O homem sem Deus comete loucuras por causa do pecado, que agride diretamente os valores do Senhor. Por isso, é normal que ele o discipline, em seu tempo e de seu jeito. Foi assim com os babilônios. Deus se refere diferentes vezes às ações desse povo e à disciplina que viria sobre eles em consequência de seus pecados: roubaram, cobiçaram, mataram, adulteraram, foram arrogantes e idolatraram (Hc 2.6,9,12,15,19). Os babilônios agiam como se fossem autossuficientes e independentes de Deus, mas o Senhor não estava alheio ao que estava acontecendo. Estava claro que não somente Israel seria castigado, mas também os babilônios, pois ninguém que se rebele contra Deus fica impune.

O Senhor, no entanto, não pune o perverso que nos prejudica apenas em razão do que foi feito contra nós, mas porque suas ações militam completamente contra a sua santidade e justiça. Por isso, não é nosso papel, mas de Deus, agir como vingador. A ação

> Não podemos esquecer que, se nada nos separa do amor de Deus, ele também disciplina aqueles que ama.

de Deus contra os babilônios também serve de lição para nós. Devemos refletir se também não somos passíveis de disciplina da parte de Deus por causa de orgulho e idolatria. Não podemos esquecer que, se nada nos separa do amor de Deus, ele também disciplina aqueles que ama.

O MUNDO FORA DA SALA DE ESPERA **89**

Fato é que o justo muitas vezes sofre enquanto o ímpio e o perverso prosperam. Essa era a razão de parte da aflição de Habacuque — e, muitas vezes, torna-se a nossa também. Em Salmos 73.11-14, Asafe expressa esses mesmos sentimentos:

> "O que Deus sabe?", perguntam. "Acaso o Altíssimo tem conhecimento disso?" Vejam como os perversos desfrutam uma vida tranquila, enquanto suas riquezas se multiplicam. Foi à toa que mantive o coração puro? Foi em vão que agi de modo íntegro? O dia todo só enfrento problemas; cada manhã sou castigado.

Essas poderiam perfeitamente ser as palavras de João Carlos, que procurou ser correto durante toda a vida, mas viu o homem que lhe passou a perna sair da situação sossegado e mais rico que antes. Mas, então, ao entrar no santuário de Deus, o salmista Asafe redireciona seu pensamento: "Então, entrei em teu santuário, ó Deus, e por fim entendi o destino deles" (73.17).

Habacuque estava prestes a passar pela mesma situação que o salmista. Nós também podemos enfrentar essa mesma sensação de abandono por parte de Deus e, como resultado, desenvolver ceticismo e desconfiança ao ouvir as Escrituras. Também podemos ser levados a desistir de confiar em Deus. Felizmente, Habacuque e Asafe tomaram a decisão correta. Asafe entrou no santuário e Habacuque subiu à torre de vigia. Quando atravessamos crises ou situações amedrontadoras, o mais encorajador é não focar o tamanho do problema, mas, a exemplo do profeta, ouvir e saber mais do Senhor: "Acaso o Senhor dos Exércitos não transformará em cinzas as riquezas das nações? Elas trabalham com afinco, mas de nada adianta! Pois, assim como as águas enchem o mar, a terra se encherá do conhecimento da glória do Senhor" (Hc 2.13-14).

90   A SALA DE ESPERA DE DEUS

Ao mesmo tempo em que vê a corrupção e a violência dos babilônios, Deus deixa claro que agirá de forma nunca vista para derrubá-los e para que ele seja conhecido em toda a terra. O mundo estava conhecendo o poder, a violência e a imoralidade dos babilônios, mas, de forma ainda mais profunda e extensa, conheceria o poder de Deus. Enquanto o conhecimento do poder dos babilônios trazia destruição, o conhecimento de Deus trazia liberdade e relacionamento com o próprio Deus.

É importante notar a expressão "conhecimento da glória do Senhor". A palavra "conhecimento" significa, nesse contexto, muito mais do que uma informação intelectual. No Antigo Testamento, o conceito de conhecimento de Deus carrega a ideia de relacionamento e presença poderosa.[2] Conhecer Deus significa ter um relacionamento pessoal com ele, ter experimentado de sua presença e seus atributos, como amor, paz e alegria. Conhecer Deus significa ter intimidade com ele (Êx 33.17).

Portanto, quando o Senhor menciona a Habacuque que a terra se encheria do conhecimento de Deus, ele queria dizer que o mundo, apesar de sua corrupção, teria a oportunidade de ver e experimentar a presença divina. Deus tinha em mente não apenas o impacto que a queda dos babilônios causaria, mas também o que ocorreria quando as gerações futuras viessem a conhecê-lo por meio do Messias. Assim, em Cristo, toda a terra seria cheia do conhecimento e da presença de Deus, e com ele se relacionaria.

> Conhecer Deus significa ter um relacionamento pessoal com ele, ter experimentado de sua presença e seus atributos, como amor, paz e alegria.

Saber que Deus não está cego para as ações do ímpio, do perverso e do orgulhoso, mas tem os olhos abertos para abençoar os escolhidos com sua presença é fonte de muita esperança.

Não raro, quando estamos na sala de espera por erro alheio, lembrando que lá fora o mal continua atuando, saber que Deus agirá e se revelará deve tranquilizar nosso coração.

Em vez de concentrar-se na solidão da sua sala de espera, o desafio de João Carlos era concentrar-se em um Deus cujo caráter santo não deixa o pecado impune. Como Habacuque, João estava conhecendo um Deus todo-poderoso, sim, mas que deseja um relacionamento pessoal com aqueles que o seguem e sofrem na sala de espera. Habacuque viu um Deus que age em prol dos seus e, ao mesmo tempo, visa ao castigo do ímpio.

Ao compreender que Deus puniria os babilônios, Habacuque consegue realinhar o propósito de um Deus santo. É como se Deus estivesse respondendo ao profeta: "Calma, Habacuque, a história não termina com os babilônios. Eles são ímpios, mas estão em minhas mãos". Por isso, ele diz: "O SENHOR, porém, está em seu santo templo; toda a terra cale-se diante dele" (Hc 2.20). A soberania de Deus, aceita pelo profeta, o cala. O espírito inquiridor, ansioso e protestador do início do seu livro dá lugar a uma atitude de humildade e submissão a Deus. O tempo na torre de vigia trouxe cura para a alma cansada do profeta. A santidade de Deus foi defendida e reconhecida. Em contraste com os deuses babilônios, sempre silenciosos e impotentes, Habacuque cala-se diante do Deus todo-poderoso, mas também pessoal e amorosamente soberano.

O calar-se diante de Deus não é ficar em silêncio porque o Senhor não ouve. O calar-se é aquela sensação de segurança que a presença de Deus oferece em tempos de angústia, questionamentos e incertezas. Estar no seu santo templo não significa que o Altíssimo se encontra numa sala feita de tijolos e cimento, mas que está em toda parte, conosco no caos ou na festa. Por isso, podemos ficar calados, em silêncio, seguros.

A punição divina dos babilônios ocorreu em 539 a.C. O orgulho e a idolatria desse povo sucumbiram diante de um novo poder, o dos medo-persas. Em um banquete no qual o rei da babilônia desonrava Deus e usava os utensílios do templo em meio a bebedeiras e orgias, o Senhor anunciou a derrota, naquela mesma noite, do reino babilônio para o conquistador Dario (Dn 5.1-31).

Quando cai em si e corre para Deus, o salmista Asafe experimenta o mesmo que Habacuque: "Então, entrei em teu santuário, ó Deus, e por fim entendi o destino deles. Tu os puseste num caminho escorregadio e os fizeste cair do precipício para a destruição. São destruídos de repente, completamente tomados de pavor" (Sl 73.17-19). Como os babilônios, cedo ou tarde aquele que vive de forma arrogante e independente de Deus também cairá.

Em vez de remoer o evento da perda e elaborar um meio de vingança, João Carlos aprendia que o mesmo Deus que não impediu o engodo era também o Deus que cuidaria dele e lidaria com o erro do usurpador.

Então, como tratar a cultura do orgulho e da idolatria que nos influencia?

Deus, Habacuque e nós

Embora o pecado dos babilônios fosse horrendo, antes de olhar para eles com ares de superioridade moral, devemos nos lembrar de que somos tão pecadores quanto eles e, por isso, estamos sujeitos à mesma disciplina. Deus, porém, sempre tem um caminho para a restauração, caso nos arrependamos da arrogância e da idolatria. De nossa sala de espera, devemos, antes de tudo, pedir a Deus: "Examina-me, ó Deus, e conhece meu coração; prova-me e vê meus pensamentos. Mostra-me se há em mim algo que te ofende e conduze-me pelo caminho eterno" (Sl 139.23-24). Não podemos assumir que não somos orgulhosos ou que não temos alguns deuses, em vez disso devemos nos fazer algumas perguntas corajosas, como: "O que realmente acho que não posso perder na vida?"; "O que me deixa mais desapontado?"; "Costumo queixar-me constantemente a meu cônjuge da nossa vida sexual?"; "Brigo demasiadamente quando as pessoas são desrespeitosas comigo?"; "O medo de ficar sem dinheiro me impede de contribuir regularmente na igreja?". São perguntas que nos ajudam a checar se guardamos um deus no interior, seja ego, seja sexo, seja dinheiro. Lembre-se: seu tempo prolongado numa sala de espera da vida pode ser o contexto em que Deus esteja alertando: "Ei, você está no caminho babilônio. Arrependa-se e volte".

Tempos atrás, descobri um grande deus em minha vida. Sempre que fazia um sermão na igreja e ninguém o elogiava, sentia um tremendo vazio. Descobri que, muitas vezes, não estava pregando para servir a Deus, mas para tentar construir minha imagem como pregador. Foi dolorido aceitar, mas minha esposa me confrontou amorosamente sobre isso, e o Senhor tem trabalhado em meu coração. Precisei confessar meu pecado e, cada vez que esse deus tenta ressurgir, corro ao Pai a fim de confessar essa tentativa de "me encher" da forma errada.

Deuses falsos tentam insuflar-nos o ego e precisam ser identificados, encarados, confessados e abandonados. O ponto é que não conseguimos lidar com nossos deuses nem abandoná-los sem olhar para Jesus e pedir sua intervenção em nossa vida. Ele é o exemplo, pois, sendo Deus, esvaziou-se de

94 A SALA DE ESPERA DE DEUS

si mesmo. Quando admitimos o pecado e resolvemos crer em Cristo como Salvador e Senhor, o ego tem a chance de desinchar, e o vazio é preenchido pelo amor divino. Deixamos os ídolos quando, depois de crer em Jesus, passamos a valorizar e buscar aquilo que Deus aprova.

No caso dos babilônios, sua idolatria os direcionava para o poder, o controle, a fama, o sexo e o dinheiro. Na vida do João Carlos, seu deus era a ideia de que, se o projeto do aplicativo não houvesse sido furtado, ele e seus amigos estariam ricos e famosos. Mas, quando Jesus ocupa nosso coração, a busca é redirecionada a fim de que nos tornemos perdoadores, generosos, amorosos e livres da ânsia por poder e controle. Entregamos o controle a Deus, em uma mudança gradativa e diária.

A Bíblia é muito clara, quando nos diz: "Uma vez que vocês ressuscitaram para uma nova vida com Cristo, mantenham os olhos fixos nas realidades do alto, onde Cristo está sentado no lugar de honra, à direita de Deus" (Cl 3.1). Sempre que os ídolos do coração e o inchaço do ego ressurgem, precisamos voltar a focar, considerar e buscar aquilo que tem a ver com Deus e sua vontade para nós.

João Carlos estava no processo de crer que poderia viver sem o sucesso do aplicativo e, até mesmo, ver outras pessoas usufruírem de seu trabalho sem que ele recebesse os benefícios daquele esforço. Por isso, ele precisava lidar com outra questão interior: em vez de olhar com olhos humanos de "babilônio", ele tinha de olhar a partir da perspectiva do Deus soberano.

Não podemos deixar que a mágoa contra "os babilônios" nos domine. Deus cuidará deles. Como Paulo escreveu em Romanos 12.19-21:

Amados, nunca se vinguem; deixem que a ira de Deus se encarregue disso, pois assim dizem as Escrituras: "A vingança cabe a mim, eu lhes darei o troco, diz o Senhor". Pelo contrário: "Se seu inimigo estiver com fome, dê-lhe de comer; se estiver com sede, dê-lhe de beber. Ao fazer isso, amontoará brasas vivas sobre a cabeça dele". Não deixem que o mal os vença, mas vençam o mal praticando o bem.

Quanto mais adio o perdão que preciso estender ao babilônio que me prejudicou, mais fico escravo dele e me curvo diante dele, querendo me vingar. Isso é idolatria e orgulho. Idolatria porque, às vezes, penso que, no dia em que me vingar, me sentirei melhor, o que gera culpa, e sem Jesus não terei vitória sobre a culpa. Orgulho porque, ao remoer as ações prejudiciais do "babilônio", meu ego e minha vontade de assumir o lugar de Deus são inflados.

Por isso, preciso correr para a Jesus. E você também.

5

Alegres em Deus na sala de espera

É possível ser feliz quando o foco
não está nos problemas

Logo que cheguei à Igreja Batista do Morumbi, congregação que hoje pastoreio, minha esposa e eu fomos amorosamente acolhidos por Jeremias e Grace, casal que muito nos inspirou e do qual nos tornamos amigos. Eles estavam na cidade havia poucos anos. Tinham uma linda família e eram bem-sucedidos nos negócios.

As coisas iam muito bem até que um dia descobriram que o sócio os enganava e, de repente, perderam tudo, restando apenas a casa em que moravam. No meio da crise financeira, um dos filhos engravidou a namorada. Pouco tempo depois, credores começaram a cobrar dívidas que eles nem sabiam existir e que eram fruto das ações nefastas do ex-sócio. Como o fraudador havia transferido seus bens para terceiros, Jeremias e Grace viram-se na obrigação de honrar as dívidas da empresa falida.

Jeremias foi acometido por uma doença séria e a compra de medicamentos caríssimos aprofundou ainda mais a crise financeira. As dívidas aumentaram e, então, seu advogado sugeriu que assinassem um documento atestando que viviam na linha de pobreza, a fim de poder negociar melhor tudo o que deviam. O casal resistiu, pois, apesar de estarem quase falidos, a parca aposentadoria que recebiam impedia que passassem fome. Como não queriam mentir, se recusaram.

ALEGRES EM DEUS NA SALA DE ESPERA **97**

Certo dia, aquele casal veio conversar comigo. Não para pedir ajuda, não para pedir que eu orasse por eles, mas para me abraçar em razão de meu aniversário. Durante nosso encontro, eles nem tocaram no tema de suas dores, dívidas e perdas, tampouco na questão da doença de Jeremias. Como pastor, estou muito acostumado a ouvir histórias de sofrimento e desespero, mas esse caso era diferente. Grace e Jeremias vieram até mim não para repartir sua carga, mas para me encorajar, pois sabiam que minha esposa e eu estávamos atravessando momentos difíceis com nossos filhos. Depois que oraram por nós, perguntei-lhes como conseguiam estar tão serenos, apesar da tempestade que atravessavam. E a resposta tem muito a ver com o que também ocorreu com Habacuque.

No capítulo 3, o que vemos é um homem muito diferente do apresentado no capítulo 1. O profeta já não se mostra uma pessoa inquieta, insatisfeita ou questionadora. A sala de espera tornara-se uma fortaleza e um lugar de esperança e satisfação, mesmo sem ele ter recebido ainda as respostas esperadas. Embora Habacuque nunca tivesse possuído a riqueza de que Grace e Jeremias um dia desfrutaram, ele estava descobrindo algo mais precioso e realizador.

Como Habacuque conseguiu ficar numa sala de espera sem reclamar da vida ou da demora de Deus para tirá-lo de lá? Como pessoas como Jeremias e Grace conseguem viver de forma serena, sem se deixar dominar pelas necessidades aparentemente não supridas?

Enquanto estamos na sala de espera, podemos alimentar um coração amargo ou grato. Se focamos o fato de que Deus poderia ter impedido o que nos levou à sala de espera, plantamos sementes de amargura. Mas, se em meio ao silêncio e à solidão, resolvemos focar o que Deus deseja produzir em nós, esvaziamos a ansiedade e crescemos em confiança. Longas horas na sala de espera trazem cansaço físico e emocional, mas nesse contexto podemos relembrar o que Jesus nos disse: "Venham a mim todos vocês que estão cansados e sobrecarregados, e eu lhes darei descanso" (Mt 11.28).

Quando estamos imersos na correria da agenda diária, pouco valorizamos essas palavras de Jesus, pois de certa forma temos o controle das coisas. Mas, na impotência das salas de espera da vida, aprendemos como desfrutar do descanso emocional que Deus quer nos proporcionar. Creio que é por essa razão que Habacuque diz: "Estremeci por dentro quando ouvi isso; meus lábios tremeram de medo. Minhas pernas vacilaram, e tremi de terror. Esperarei em silêncio pelo dia em que a calamidade virá sobre nossos invasores" (Hc 3.16).

É muito singular comparar essas palavras de Habacuque, no capítulo 3, com o que o profeta dissera pouco antes, no capítulo 1: "Até quando, Senhor, terei de pedir socorro? Tu, porém, não ouves. Clamo: 'Há violência por toda parte!', mas tu não vens salvar" (v. 2). O que mudou na história de Deus com Habacuque? Nada. Os planos de Deus de enviar os babilônios para castigar Israel continuam intactos. Na verdade, aquele homem havia mudado.

> O que mudou na história de Deus com Habacuque? Nada. Os planos de Deus de enviar os babilônios para castigar Israel continuam intactos. Na verdade, aquele homem havia mudado.

Talvez Habacuque não tivesse compreendido totalmente como Deus age, mas sua confiança no Senhor estava visivelmente fortalecida. Seu tempo prolongado na torre de vigia não lhe endureceu o coração. Enquanto aguardava a resposta de Deus às suas queixas (2.1), o profeta descobriu que a ansiedade não abreviaria seu tempo de espera, em vez disso esse período trouxe alívio a sua alma, pois, enquanto falava com Deus, começava a ver a situação da perspectiva divina. A alma aliviada, cheia de esperança e com foco na graça de Deus é capaz de não se desesperar diante do lento compasso do relógio da sala de espera.

Quando perguntei a Jeremias e Grace como conseguiam permanecer serenos em meio à tempestade para a qual foram arrastados, silenciosamente também me perguntava: e se fosse eu no meio de uma tempestade? Isso me levou a olhar aquele estágio da vida de Habacuque como uma experiência possível para mim e para você. Todos passamos por momentos em que os lábios tremem, as pernas vacilam e o corpo estremece de terror. É muito difícil ver desaparecer repentinamente aquilo que por muito tempo sonhamos conquistar. É a casa financiada por mais de 15 anos que se incendeia depois de quitada, cujo seguro não renovamos por mero esquecimento. É o casamento sonhado por anos que termina depois de apenas dois meses porque o cônjuge morre devido a um erro médico. Mas, na vida de Habacuque, o tremor, antes provocado pelos babilônios, fixa-se na majestade de Deus.

Habacuque estava descobrindo um Deus poderoso e pessoal como ele nunca se dera conta. Seu tremor, a essa altura do relato, não tem mais a ver com medo, mas com o privilégio de testemunhar e experimentar o poder de Deus, capaz de proporcionar paz e segurança mesmo diante do perigo iminente dos babilônios. Ter uma experiência íntima com Deus numa sala de espera tomada pela dor, pela frieza, pela ansiedade, pelo marasmo e pela desesperança transforma nossa vida e nos faz tremer. Mas é um tremor associado à confiança. Como escreveu Larry Crabb: "Trema quando a direção de Deus não

100 A SALA DE ESPERA DE DEUS

fizer sentido, mas sem deixar de confiar no Deus que não permite que nada impeça seus propósitos".[1]

Não sabemos como tudo terminará enquanto estamos na sala de espera, pois não temos controle sobre os acontecimentos e isso pode nos desconcertar e abalar. Contudo, a presença de Deus produz uma sensação coerente de segurança quando lembramos quem ele é e a fidelidade de seu amor. Quando pomos o foco no Todo-poderoso, a confiança em sua presença e em seu poder se torna mais forte do que o medo gerado pelas circunstâncias. E foi isso que comecei a ver em Jeremias e Grace. Embora estivessem vivendo no meio de uma tempestade aparentemente sem fim, o foco deles estava no poder infinito de Deus, que — eles confiavam — no tempo certo transformaria a tempestade em chuva de bênçãos.

Minha esposa e eu trememos quando ouvimos do neonatologista que nosso filho não andaria, não falaria, não ouviria e que a probabilidade de uma vida saudável e normal era remota. Por algum tempo, o sonho de família parecia ter se transformado em pesadelo. Mas, quando desviamos o foco, mudanças acontecem. Não necessariamente nas circunstâncias, mas em nós, e essas transformações são protagonizadas por Deus.

Trocando ansiedade por paz e descanso

A ansiedade rouba-nos a paz. O medo reflete a insegurança. Se não temos uma âncora que nos mantenha firmes em meio a um processo de perda, sentimo-nos desesperados, inseguros e temerosos. Como escreveu Maurício Zágari: "medo gera ansiedade e ansiedade gera medo. Muitas vezes se fundem e se confundem, tornando-se um monstro único e apavorante".[2]

ALEGRES EM DEUS NA SALA DE ESPERA **101**

Foi assim com os discípulos que estavam no barco com Jesus durante aquela poderosa tempestade no mar da Galileia:

Ao anoitecer, Jesus disse a seus discípulos: "Vamos atravessar para o outro lado do mar". Com ele a bordo, partiram e deixaram a multidão para trás, embora outros barcos os seguissem. Logo uma forte tempestade se levantou. As ondas arrebentavam sobre o barco, que começou a encher-se de água.

Jesus dormia na parte de trás do barco, com a cabeça numa almofada. Os discípulos o acordaram, clamando: "Mestre, vamos morrer! O senhor não se importa?".

Jesus despertou, repreendeu o vento e disse ao mar: "Silêncio! Aquiete-se!". De repente, o vento parou, e houve grande calmaria. Então Jesus lhes perguntou: "Por que estão com medo? Ainda não têm fé?".

Apavorados, os discípulos diziam uns aos outros: "Quem é este homem? Até o vento e o mar lhe obedecem!".

Marcos 4.35-41

Não é difícil imaginar a cena. Embora muitos daqueles homens fossem experimentados em navegar naquela região, pois eram pescadores, nunca haviam enfrentado um problema daquele porte. As experiências anteriores não lhes deram a serenidade necessária para lidar com ondas tão avassaladoras. Há similaridades entre aquela situação e a de Habacuque. Era estranho para os discípulos ansiosos e amedrontados ver Jesus dormir como se nada estivesse acontecendo. Como ele podia estar livre da ansiedade e do medo?

A tranquilidade de Cristo era fruto da sua certeza de quem ele era e em quem ele confiava. Lembre-se de que ele era Deus, mas também homem e, em sua humanidade, era passível de enfrentar o que todos enfrentamos. A mesma confiança que Jesus tinha no Pai é a que o Pai quer que tenhamos. É por isso que as tempestades e as salas de espera da vida têm tanto valor. Jesus disse ao vento que causava a tempestade e levantava aquelas ondas enormes: "Aquiete-se!". Os homens não tinham poder sobre o vento, mas Jesus tinha. Por isso, ele conseguia dormir.

Inicialmente, Habacuque passou por um período de ansiedade e agitação, mas estava aprendendo a ouvir Deus dizer: "Aquiete-se!". É interessante notar que o coração do profeta aquietou-se, embora a tempestade ainda não tivesse terminado. Quando ele disse que esperaria "em silêncio" pelo dia em que a calamidade viria sobre os invasores (3.16), ficou claro quão grande era sua paz naquele momento. Do tremor, do medo, da insegurança e da ansiedade, ele passou à paz de espírito. O profeta havia descoberto que a segurança não está na ausência de conflitos, mas na presença poderosa de Deus.

> O profeta havia descoberto que a segurança não está na ausência de conflitos, mas na presença poderosa de Deus.

O verbo em hebraico usado por Habacuque e traduzido por "esperarei"[3] tem o sentido de descansar após um trabalho. Era como se ele estivesse dizendo: "Descansarei depois das lutas para entender o que está acontecendo". Ninguém descansa se não estiver em paz. Sem ela, a ansiedade torna as noites maldormidas. Mas o descanso do profeta também era sinal de satisfação. Ele agora estava satisfeito com o que Deus lhe dissera na torre de vigia. O que nos satisfaz a alma não é conseguir o que esperamos, pois isso passará, se deteriorará, se perderá. Essa satisfação, assim como o alívio são temporários. A maior satisfação, e a mais permanente, vem da comunhão com Deus, a despeito de qualquer circunstância. Essa satisfação permanecerá.

Jeremias e Grace me disseram que estavam em pé porque sempre que o temor os assaltava falavam com Deus sobre a ansiedade que sentiam. Eles aprenderam a dar graças pelo que tiveram no passado, na certeza de que Deus tinha algo ainda melhor para eles. E, junto com a gratidão, continuaram a orar pelo futuro que desconheciam, crendo que o Deus do passado permaneceria com eles. Isso lhes dava a segurança de que precisavam. A perda já não era tão significativa para eles quando comparada com o que estavam experimentando àquela altura da vida.

O livro de Habacuque começa com uma oração, em um período em que o profeta estava desapontado, ansioso e quase desesperado. Era uma oração de lamento, de profunda expressão de temor e inconformismo com a situação. O profeta também começa o capítulo 3 orando, durante sua transformação interior. Com certeza, o tempo de Habacuque na torre de vigia foi um período de oração e respostas.

Diante das pressões, a oração é quase o último recurso. Mas ela deveria ser o primeiro. Quando oramos, recolocamos Deus no foco, em vez dos problemas. O capítulo 3 de Habacuque é uma lição sobre como orar em tempos difíceis e naqueles em que Deus parece distante ou tardio em responder nosso clamor. Traz palavras de adoração e de profunda confiança em Deus, com destaque para seus grandes feitos do passado.

Jeremias e Grace compartilharam comigo, naquela manhã, que Deus os abençoara com os primeiros negócios, os orientara a deixar o emprego e a fundar a própria empresa. Também fora Deus quem lhes dera os primeiros clientes, que se multiplicaram mais e mais. E, naquela fase difícil, ainda sem entender o caos em que se encontrava, o casal relembrava o que Deus

104 A SALA DE ESPERA DE DEUS

fizera no passado, renovando em ambos a certeza de que orar era o caminho.

Quando estamos em situações de perigo, medo ou ansiedade, em geral nossa oração foca o alívio que desejamos: "Senhor, tira-nos desta fria sala de espera!". Que significativo seria orar: "Senhor, a despeito do tempo que eu venha a ficar nesta sala, oro pedindo que o Senhor seja glorificado". Foi ao focar o que ele ouvira a respeito de Deus no passado que Habacuque orou com esse propósito. Ele estava certo de que, como Deus agira no passado, poderia agir no presente. Isso é fruto de amadurecimento espiritual, algo que não vem de sentimentos, mas do conhecimento da verdade a respeito do Senhor.

Habacuque relembra os feitos de Deus que geraram nele aquele êxtase de tremor e reverência. Essa parte da oração traz algo muito marcante como aplicação para nossa vida: lembrar as ações de Deus e seus atributos alimenta nossa fé, fortifica nossa caminhada transformadora e no leva a alcançar satisfação. Essa satisfação em Deus se torna mais marcante do que a solução do problema.

Em tom poético, Habacuque lembra como Deus apareceu para seu povo no passado: "Seu esplendor envolve os céus, e a terra se enche de seu louvor. Sua vinda é radiante como o nascer do sol; raios de luz saem de suas mãos, onde está escondido seu poder" (3.3-4). Com esse esplendor, Deus aparecera ao seu povo no passado, na jornada do Egito à terra prometida. E, habitados pelo Espírito Santo, temos, hoje, o esplendor da presença de Deus dentro de nós — que nos capacita a viver o amor divino em meio ao medo, proporcionando segurança.

Habacuque fala da ação de Deus ao quebrar o altivo coração do faraó na época de Moisés: "A peste marcha adiante dele, e a praga vem logo atrás. Quando ele para, a terra estremece;

ALEGRES EM DEUS NA SALA DE ESPERA **105**

quando ele olha, as nações tremem. Ele derruba os montes perpétuos e arrasa as colinas antigas; dele são os caminhos eternos" (3.5-6). O significado das pragas no Egito aponta para o poder de Deus sobre tudo o que se levanta contra ele. E esse poderio era conhecido dos povos da antiguidade.[4] As pragas e pestilências contra o Egito eram uma mensagem de Deus para os egípcios e israelitas: os deuses do Egito não tinham poder algum.

Nós também temos nossos deuses e chega o tempo em que Deus também quer destruí-los. Somente quando corremos para o Senhor, abrindo mão do controle desses deuses sobre nós, que ele age para nos libertar disso. Nossos deuses podem nos dar certo prazer passageiro, mas só Deus tem caminhos eternos. Assim, quando ele permite que certas pragas nos atinjam, é porque quer nos libertar de deuses falsos. As pragas podem ser doenças, falência financeira, perda de relacionamentos ou qualquer outra coisa que ocupe o lugar do Senhor em nossa vida.

Dois fatos históricos vêm à mente do profeta nesta parte da oração:

> Os montes viram e tremeram, e as águas avançaram com violência. O grande abismo clamou e levantou bem alto as mãos. O sol e a lua pararam no céu enquanto tuas flechas brilhantes voavam e tua lança reluzente faiscava. Marchaste pela terra com ira e, furioso, pisaste as nações. Saíste para resgatar teu povo, para libertar teus ungidos. Esmagaste a cabeça dos perversos e os descobriste até os ossos.
>
> Habacuque 3.10-13

Habacuque não vira o sol ou a lua parar, conforme entendimento do relato de Josué 10.12-15, mas ouviu e creu nos feitos de Deus para socorrer seu povo naquele dia. Apesar do numeroso contingente dos exércitos inimigos que lutaram contra

Josué, a presença de Deus com o seu povo foi suficiente para dar-lhe a vitória. Como exatamente aquele fenômeno se dera não era a preocupação maior de Habacuque; antes, era entender que a intervenção divina viera em resposta à oração de Josué. Assim como Deus fizera um milagre cósmico para proteger seu povo dos inimigos, ele continuaria preservando os israelitas. Por isso, a oração de Josué ressoa na de Habacuque. O Deus de milagres cósmicos é o dos milagres na saúde, na vida financeira, na falência de empresas, nos relacionamentos destruídos, na dependência química ou sexual. Nada se opõe aos seus planos.

"Com tuas armas destruíste o líder dos que avançaram como um vendaval, pensando que o povo fosse presa fácil. Marchaste sobre o mar com teus cavalos, e as águas poderosas se agitaram" (3.14-15). Essa foi a experiência do povo de Deus ao enfrentar a perseguição do faraó e a intransponibilidade do mar Vermelho. Se parassem, seriam capturados e, se continuassem, seriam alcançados. E agora? Habacuque lembra que Deus abrira o mar e destruíra a força que almejava capturar seu povo. Em Êxodo 14.14, Moisés disse ao povo: "O próprio Senhor lutará por vocês".

> No momento certo, ele abrirá a porta de saída da sala de espera para que sigamos um novo momento de vida, caracterizado pelo descanso nele.

Quando estamos na sala de espera por um problema aparentemente insolúvel, lembrar o que Deus fez com seus escolhidos renova, para nossa confiança, a verdade de que ele não nos deixará diante de um mar intransponível. Ou abrirá o mar ou nos deixará entrar na água sem que nos afoguemos. No momento certo, ele abrirá a porta de saída da sala de espera para que sigamos um novo momento de vida, caracterizado pelo descanso nele.

Na mente de Habacuque, a lembrança desses feitos gera a certeza de que Deus liberta seu povo e fortalece seu coração. Mesmo na difícil, delicada e demorada sala de espera, o profeta está sendo tratado por Deus e se mostra apaixonado por seu povo. Ele sabia que, apesar do poderio dos babilônios, o mesmo Deus que libertou e protegeu a nação contra os egípcios de alguma forma preservaria seus escolhidos. E é importante salientar que preservar não significava que o Senhor evitaria derramamento de sangue, mas que não deixaria de cumprir seus planos para a nação.

É por compreender isso que Habacuque diz: "Esperarei em silêncio pelo dia em que a calamidade virá sobre nossos invasores" (v. 16). Ele agora está em paz. O Deus que parou o sol e a lua e que abriu o mar Vermelho está respondendo o que ele queria saber quando se recolheu à torre de vigia. Habacuque não estava descobrindo um Deus que apenas resolve problemas, mas o Deus que satisfaz. O profeta não está usufruindo de um deus utilitário que vive para servi-lo, antes está vivenciando uma relação com o Deus que satisfaz seu interior, mesmo sabendo que os babilônios invadiriam Israel.

Precisamos ter em mente que lembrar os feitos de Deus no passado têm a ver com nosso tempo de andar com ele. Passar pelo mar Vermelho, atravessar o rio Jordão "a pés enxutos" e ver o sol e a lua parados não foram experiências ocorridas do dia para a noite. Experiências com Deus que produzem crescimento espiritual sólido e permanente são vivenciadas ao longo de anos.

Essas lembranças reafirmaram no profeta a crença de que o Senhor o amava. É importante lembrar que o registro desses feitos só pode ser encontrado na Bíblia, por isso, se não investimos tempo diário ou regular na leitura da Palavra de Deus e a aplicamos em nossa vida, como podemos enfrentar as longas

108 A SALA DE ESPERA DE DEUS

horas, ou dias, nas salas de espera? As mudanças no coração de Habacuque foram trabalhadas pela oração e pela lembrança do que Deus fizera no passado, registrado nas Escrituras. Com certeza, o tempo do profeta na torre de vigia incluía esse tempo a sós com o Pai. Não deveríamos nós seguir o mesmo caminho?

É comum ver pessoas louvarem a Deus quando seus problemas são resolvidos. Depois de sermos curados de uma doença, oferecemos um culto de ação de graças — que deve mesmo ser feito, como expressão de nossa gratidão. Mas nunca vi alguém oferecer um culto de ação de graças a Deus ainda no meio da doença, quando o problema não foi resolvido.

É importante observar que Habacuque demonstra sua satisfação e sua gratidão não depois que seu problema é resolvido, mas ainda na sala de espera, no olho do furacão. Deus não lhe disse que havia alterado seus planos. A calamidade viria com toda certeza, mas ainda assim o profeta demonstra satisfação, porque seu foco sai das circunstâncias e se volta para Deus.

Existe um movimento muito singular no capítulo 3, entre os versículos 16 a 18:

> Estremeci por dentro quando ouvi isso; meus lábios tremeram de medo. Minhas pernas vacilaram, e tremi de terror. Esperarei em silêncio pelo dia em que a calamidade virá sobre nossos invasores.
>
> Ainda que a figueira não floresça e não haja frutos nas videiras, ainda que a colheita de azeitonas não dê em nada e os campos fiquem vazios e improdutivos, ainda que os rebanhos morram nos campos e os currais fiquem vazios, mesmo assim me alegrarei no SENHOR; exultarei no Deus de minha salvação!

Perceba o contraste entre o estado de tremor, medo e terror no versículo 16 e o estado de esperança, paz e descanso nos versículos 17 e 18. Esse contraste mostra que Habacuque descobriu ser possível viver satisfeito e descansar em Deus no meio da provação da sala de espera. Ele não esperou até que o problema fosse solucionado para, só então, exaltar aquele que era a fonte da sua alegria: Deus.

Se estivéssemos nessas mesmas condições de falência moral, econômica e social, como reagiríamos? É importante atentar para a reação de Habacuque. As perdas que ele contemplava não o estavam levando ao desespero, mas a uma relação mais profunda com Deus. Só quando nos aprofundamos no relacionamento com o Pai somos capazes de dizer que, mesmo perdendo tudo o que nos dá sustento, continuaremos a confiar em Deus e a nos alegrar nele. No silêncio da sala de espera e apesar da angústia, o profeta glorifica a Deus e vivencia uma experiência de descanso, paz e de grande intimidade com o Senhor.

Nosso desafio na sala de espera é descobrir que Deus é bom, mesmo quando a solidão faz parte do dia a dia, quando o filho dependente químico recai no vício, quando enfrentamos o divórcio, a infidelidade conjugal, o abandono. Em suma, significa que podemos encontrar paz e descanso em meio aos maiores problemas.

Para entender o que Habacuque quis dizer com a expressão "mesmo assim me alegrarei no SENHOR; exultarei no Deus de minha salvação!", precisamos focar os substantivos *alegria* e *exultação*. Ambos comunicam o que vai no coração do profeta, cada um com suas características próprias. A palavra "alegria" remete a uma experiência de triunfo, aquela experiência interior ou emocional que gera cântico ou gratidão. É a resposta natural que oferecemos ou sentimos diante da fidelidade de Deus. Já "exultação", embora também carregue o sentido de alegria e

110 A SALA DE ESPERA DE DEUS

regozijo, difere por denotar uma intensidade maior. Claro que Habacuque não está gargalhando, mas a ansiedade antes sentida fora apaziguada. Por isso, ele é capaz de, ao mesmo tempo, esperar em silêncio pelo dia em que a calamidade atingiria seus invasores e alegrar-se e exultar no Senhor.

Também é importante ressaltar que, no contexto da experiência de Habacuque, a ideia de salvação não era exatamente o nosso conceito de perdão de pecados e reconciliação com Deus por meio de Jesus. Tinha a ver com o perigo iminente. Os babilônios se regozijavam em devastar e acabar com a vida de suas presas. No entanto, ainda que a nação de Israel pudesse ser uma presa fácil para os babilônios, Deus era a segurança do profeta. O Senhor prometera disciplinar a nação por causa do pecado, mas também preservá-la e restaurá-la depois do sofrimento. O descanso do profeta não se baseava em um sentimento triunfalista e repudiador da realidade do perigo, mas na certeza interior de que Deus era fiel e o salvaria do caos e do abandono, mesmo sem saber como seria atingido pessoalmente.

> O descanso do profeta não se baseava em um sentimento triunfalista e repudiador da realidade do perigo, mas na certeza interior de que Deus era fiel e o salvaria do caos e do abandono, mesmo sem saber como seria atingido pessoalmente.

Em resumo, o profeta orou, expressando suas frustrações ou exaltando a Deus. Lembrou os feitos do Senhor e desfrutou de sua presença, o que lhe concedeu paz e descanso no meio do caos. E tudo isso se traduziu, enfim, em confiança. Mas ainda precisamos responder a uma pergunta crucial: o que estava por trás desse processo que o levou do desespero à esperança?

ALEGRES EM DEUS NA SALA DE ESPERA **111**

Por ser profeta, era natural que Habacuque conhecesse o Antigo Testamento — as Escrituras divinamente inspiradas e reveladas até então — e, por conseguinte, que conhecesse bem a Lei. Por isso, também podemos dizer que, por trás da experiência de oração, lembrança e confiança, o que alimentava a vida de fé de Habacuque eram a Lei e parte dos escritos dos profetas.

Pensando em nossa vida e em nossas salas de espera, encontramos aqui um paralelo que precisa ser observado. Se a Lei e os profetas moldavam a maneira de Habacuque pensar, crer e agir, não deveria ocorrer o mesmo conosco? Como haveremos de refletir longamente na sala de espera se a mente estiver ocupada apenas pela ansiedade? Se tivermos somente uma vaga ideia de Deus, como nossa alma será alimentada? Afinal, alma alimentada é a que vive da Palavra e, quando nos alimentamos dela, a mente descobre que o tesouro é Deus e que o coração deve estar com foco nele. É a disciplina de ler as Escrituras e de meditar nelas que gera em nós confiança e nos dá a paz e o descanso que tanto almejamos.

Será que você foca a demora de Deus em responder? Será que foca a ansiedade? O medo? Ou você se lembra do que a Palavra de Deus lhe diz?

Nas conversas com Jeremias e Grace, descobri que uma das práticas de Grace era decorar versículos: "Aquilo que tenho guardado na mente a respeito de Deus é o que me alimenta e sustenta na hora da provação e da vontade de desistir", ela me disse. Então, preciso perguntar a você: no que costuma pensar quando está na sala de espera? Será que você foca a demora de Deus em responder? Será que foca a ansiedade? O medo? Ou você se lembra do que a Palavra de Deus lhe diz?

112 A SALA DE ESPERA DE DEUS

A Palavra é a revelação do Eterno. Quanto mais nos apropriamos dela como formadora dos pensamentos, mais forças encontramos para enfrentar as salas de espera sem esmorecer. Nosso maior exemplo é Jesus. Ele permaneceu três anos numa sala de espera, entre o batismo e a ressurreição. Como Jesus resistiu a tanta pressão? Ao ser tentado no deserto, ele derrotou Satanás simplesmente citando as Escrituras. Quando questionado sobre divórcio, referiu-se a Deuteronômio 24. Na hora da morte, no meio da angústia por causa da separação do Pai, citou o salmo 22. Nosso Salvador poderia ter respondido às pressões com palavras próprias, porque ele era Deus, mas preferiu usar o que já estava escrito. E, no processo de passar pela provação do Calvário, ele sabia que Deus o salvaria daquela dor insuportável da cruz.

Se Jesus recorreu às Escrituras, onde encontrava a vontade do Pai, para suportar as dificuldades entre o batismo e a ressurreição, fica claro que a Palavra também precisa moldar nossa vida antes, durante e depois da estada nas salas de espera. Sim, precisamos parar para investir tempo regularmente na leitura das Escrituras, que fortalecerão nosso amor por Deus e nossa confiança nele.

Quando o governo negou fornecer os caríssimos medicamentos que Jeremias precisava para adiar as consequências de sua doença, não vi Grace questionar Deus. Na realidade, eu a ouvi dizer ao marido: "Deus proverá, meu amor". Nunca vi nenhum dos dois negar a dor que sentiam pela perda dos bens, da posição e da saúde, mas falavam dela sem murmurar.

Lendo os versículos 16 a 18 de Habacuque 3, parece que uma eternidade fora vivida naquele pouco tempo e nas poucas palavras registradas. Um homem ansioso e descontente com os caminhos de Deus foi transformado em uma pessoa alegre e exultante em Deus, apesar das dores experimentadas e das que ainda viriam. O caminho do Senhor, no início tão sem sentido aos seus olhos, foi transformado em um caminho que apontava para bênçãos futuras.

Nas salas de espera da vida, muitas vezes a figueira não florescerá, não haverá frutos nas videiras, a colheita de azeitonas não dará em nada, os campos ficarão improdutivos, os rebanhos morrerão nos campos e os currais ficarão vazios. Mas isso não representa o fim da história. Deus continuará agindo, apesar de tudo.

Conclusão

Habacuque saiu da sala de espera. Não que o problema tenha sido resolvido. Não foi! Os babilônios atacaram a nação. O que mudou foi a reação do profeta: o descanso veio e a paz invadiu seu coração, apesar das circunstâncias. Entre o período de questionamentos e ansiedade e o momento de paz e alegria, ele descobriu o Deus que antes não conhecia. O Senhor o levou da insegurança de focar o perigo ao descanso de focar o Senhor. Esse também é o caminho que Deus deseja trilhar conosco. Ele sempre almeja nos levar do desespero à esperança.

Quando Pedro e Dora ouviram do médico que atendera Teodoro que o bebê teria algumas dificuldades por causa da convulsão, eles temeram e voltaram a ter questionamentos. Mas, por fim, descobriram que a melhor atitude para enfrentar a decepção com a doença do filho era confiar no Deus soberano em quem acreditavam. Eles precisariam renovar diariamente a confiança no Deus Criador e Onipotente, compreendendo que, se o puro Amor permitira que Teodoro adoecesse, os capacitaria a lidar com a doença. Teodoro demorou a falar e a andar, e teve problemas de aprendizado no período escolar, mas Pedro e Dora viram Deus sustentar toda a família no processo de melhora do filho. Cada vez que Teodoro tem uma convulsão, eles se voltam para o Deus soberano, que criou seu filho e cuida da vida dele. Crer na soberania de Deus trouxe descanso para o casal.

É fundamental saber que Deus é soberano. Mas ainda mais significativo é crer que ele faz diferença na vida de cada um

CONCLUSÃO **115**

de nós quando estamos na sala de espera. Não temos como mudar a história, mas podemos escolher dirigir o olhar para o Deus que tem a palavra final sobre todas as coisas. Por isso Habacuque podia dizer: "O Senhor Soberano é minha força!" (3.19). E porque Deus era sua força, o profeta contava com ele todos os dias e em todas as circunstâncias. Nem sempre o Senhor eliminará nossas dores de imediato, mas certamente nos capacitará e nos dará vigor para lidar com elas enquanto se fizerem presentes.

Foi muito difícil e dolorido para os pais do Joubert ver o filho, que era atlético, cheio de vida, dono de um sorriso largo e vibrante, sair do hospital numa cadeira de rodas. Joubert estava confortado, mas os pais pareciam sofrer muito. Foi uma longa sala de espera até descobrirem que a tristeza pelas consequências do acidente do filho e a mágoa contra o motorista alcoolizado podiam ser trocadas pela força diária que Deus lhes concedia para lidar com a dor na alma. Eles nunca teriam descoberto o Deus que provê forças se não houvessem vivido um tempo numa sala de espera. Descobriram que o descanso não está numa vida isenta de problemas ou na saúde de um filho, mas na confiança em Deus.

> Nem sempre o Senhor eliminará nossas dores de imediato, mas certamente nos capacitará e nos dará vigor para lidar com elas enquanto se fizerem presentes.

Embora Joubert não tenha partido para o campo missionário, tornou-se um pastor bivocacionado: suas habilidades administrativas o levaram a dirigir uma ONG de grande impacto social na região em que morava enquanto o mestrado em Teologia e a pós-graduação em Recursos Humanos abriram-lhe a porta de um centro de treinamento de futuros missionários

116 A SALA DE ESPERA DE DEUS

para o mundo muçulmano. O Deus soberano e cuidadoso transformou uma perda em fonte de bênçãos para um grande grupo de pessoas. Apesar de viver em uma cadeira de rodas, Joubert experimenta a alegria de ter sua vida usada por Deus.

No momento certo, nosso Pai abrirá a porta da sala e nos dirá: "A espera acabou".

Fortalecimento antes de sair da sala de espera

A experiência de Habacuque com Deus ganha mais uma vez um tom poético e encorajador: "O Senhor Soberano [...] torna meus pés firmes como os da corça, para que eu possa andar em lugares altos" (3.19).

A corça (fêmea do veado) é capaz de escalar montes e saltar sobre os empecilhos do caminho sem dificuldade. O formato das patas traseiras evita que ela escorregue, mesmo em terrenos íngremes ou na superfície pedregosa e lodosa que circunda os riachos onde ela costuma beber água.[1] As patas dianteiras lhe dão uma mobilidade fantástica para movimentos rápidos de meia-volta. Ela pode alcançar a velocidade de 35 quilômetros por hora e dar saltos de quase três metros de altura.

Habacuque poderia ter desistido de confiar no Pai. A decepção e a inicial falta de aceitação da soberania de Deus ao escolher os babilônios como algozes de Judá poderiam ter esfriado o relacionamento espiritual do profeta. Em vez disso, ele lança mão das habilidades excepcionais da corça para expressar, naquela imagem poética, sua segurança e confiança na presença e no poder soberano de Deus. Ele poderia ter escorregado, mas como a corça conseguiu pular o obstáculo do medo, do pânico e da sensação ruim causada pelo silêncio de Deus.

CONCLUSÃO **117**

Mas também é preciso atentar que essa firmeza foi alcançada durante o tempo em que permaneceu na sala de espera. Ele adquire resiliência e fortalecimento à medida que se volta inteiramente para Deus. É como ocorre com a corça. Enquanto filhote, seus pés não são fortes nem ágeis. A firmeza e a agilidade vêm com o tempo e com a experiência ao andar por lugares íngremes e difíceis.

Mesmo diante da imoralidade e da crueldade dos babilônios e por mais que isso lhe tenha causado confusão, Habacuque não perdeu de vista o fato de que Deus estava no trono contemplando a situação.

> A exemplo do profeta, nossa firmeza vem da certeza de que o Senhor está agindo, ouvindo e cuidando dos seus, mesmo que não sejamos capazes de perceber suas ações naquele momento.

A exemplo do profeta, nossa firmeza vem da certeza de que o Senhor está agindo, ouvindo e cuidando dos seus, mesmo que não sejamos capazes de perceber suas ações naquele momento.

Celina teve dificuldade em manter sua confiança em Deus. Por causa do afastamento e do silêncio de Joás, ela "escorregou" e sentiu-se abandonada por Deus. O silêncio do marido, que a havia trocado por um homem, machucou-a profundamente. Por certo tempo, ela dizia: "Minha fé se esvaziou".

O escorregar da fé traz mais solidão e causa feridas que não cicatrizam. E assim foi com Celina até que uma amiga piedosa a confrontasse, fazendo-a admitir que Joás havia se tornado um deus em sua vida.

Celina reconheceu que depositava no marido o seu contentamento, e não em Deus. Joás nunca mais se dirigiu diretamente a ela, mas aos poucos Celina tem voltado a confiar no Senhor. Sua sala de espera tem sido longa, mas, com foco em Deus, confio que o dia do descanso chegará.

João Carlos teve seus momentos de raiva, resultantes do ressentimento contra seu ex-investidor. A escassez contribuía para o ímpeto de desejar o mal para o homem que o traíra. A lembrança da traição criava as pedras lodosas em que ele precisava pisar a fim de atravessar o período na sala de espera. Mágoas são sempre pedras cobertas de lodo que podem nos levar a escorregar. E, se optamos pela vingança, escorregamos e caímos. Mas, enfim, chegou o dia em que João Carlos foi liberto das pisadas escorregadias das fantasias de vingança. A liberdade da mágoa contra o homem que o enganara veio como consequência do redirecionamento de foco. Ele passou a olhar para o Deus silencioso, mas presente. Ele compreendeu e aceitou que Deus sempre esteve em seus negócios, mesmo com a perda sofrida, e isso lhe deu certeza de que ele o levantaria de novo.

Em sua torre de vigia à espera da resposta de Deus, João Carlos viu sua fé crescer e o perdão ser estendido para o ex-investidor. João criou um novo aplicativo. Ele ainda não tem um novo investidor, mas crê que seu "sócio majoritário", o Deus soberano, está investindo na vida dele para que se torne um desenvolvedor de aplicativos moldado pela graça. Foi um irmão em Cristo, mais velho e experiente em prolongadas estadas em salas de espera, que contribuiu para o gradual processo de mudança de João Carlos. Esse amigo havia passado por situações semelhantes às de João e, ao compartilhar com ele sua história e dizer como se voltara a Deus, João se fortaleceu para perdoar e reconstruir seu negócio.[2]

Ter pés como os da corça significa que, mesmo em terrenos escorregadios, o foco não é a superfície instável, mas o Deus que nos capacita para não escorregarmos. O tamanho de um problema ou a demora em vê-lo resolvido pode ser um terreno

CONCLUSÃO **119**

lodoso, mas podemos, como Habacuque, olhar para Deus e, com confiança, pular os pedregulhos lodosos.

Ganhar pés como os da corça leva tempo. E o tempo de Deus raramente é o nosso. Só ele sabe o período necessário para nos fortalecer. Quando ele completa seu trabalho em nós na sala de espera, a porta se abre e passamos a viver um relacionamento mais profundo com ele.

Habacuque chega ao fim de seu livro cheio de fé, descansando em Deus e alegre. A intimidade com o Senhor fica muito evidente quando ele diz: "para que eu possa andar em lugares altos", numa referência à presença e à comunhão com Deus. Nos lugares altos, a corça encontra refúgio e se alimenta. Nos lugares altos, ela encontra comida e descanso depois do desgaste de subir as montanhas íngremes. O tempo nas salas de espera também nos desgasta e gera sentimentos de impotência e carência. Em contrapartida, quando nos submetemos aos processos de Deus, descobrimos que, no Pai, há força, firmeza, descanso, preenchimento e pertencimento.

Alegrar-se no Senhor é mais que sentir, é viver cada dia "no alto", sabendo que, no momento do Senhor, a porta da sala de espera se abrirá para uma sala onde será servido um banquete de encorajamento, descanso e suprimento dos recursos para uma nova fase de vida. É ter a disciplina de orar, relembrar os feitos do Senhor, acatar a soberania divina como um ato amoroso e crer que Deus nos ama e cumpre suas promessas. Esse exercício produz a alegria a que Habacuque se refere no versículo 18 e que passou a desfrutar como uma das virtudes do fruto do Espírito, apresentado em Gálatas 5.22-23. Ninguém, por si só, é capaz de gerá-las. Somente o Espírito, por iniciativa própria, nos enche com amor, alegria, paz, paciência, amabilidade, bondade, fidelidade, mansidão e domínio próprio.

Não estaremos livres de problemas mesmo nos lugares altos, mas, por causa de Deus viveremos no descanso dele e com contentamento. Como William Barcley escreveu em seu livro *O segredo do contentamento*: "Você não estará verdadeiramente contente até que aprenda a estar contente em qualquer situação que vier a enfrentar".[3] Portanto, quando Deus nos tira da sala de espera, com certeza a alegria maior não é a solução do problema, mas ter descoberto o Deus que antes não conhecíamos!

Quando finalmente nosso filho deixou o hospital, os prognósticos não eram dos melhores. Ele talvez não conseguisse ouvir, falar nem desenvolver uma boa coordenação motora. Talvez não tivesse condições nem mesmo de frequentar a escola. Só tínhamos uma escolha: olhar para Deus. Nosso filho teve, de fato, aprendizado tardio e experimentou dificuldades de coordenação motora. Mas, na adolescência, ele se tornou um habilidoso jogador de basquete e ganhou prêmios e honrarias em decorrência de suas habilidades esportivas. No princípio, achamos que ele nunca terminaria o colegial, mas, hoje, ele é candidato ao mestrado, depois de ter estudado no exterior. Algumas sequelas ainda existem, mas Teca e eu temos esperança de que um dia Deus complete o milagre. E, se ele não completar, não deixará de ser nosso Deus. Antes, continuará sendo o Deus da nossa salvação (Hc 3.18). Por causa disso, demos ao nosso filho o nome de Rafael, que significa "Deus cura".

Não posso negar que muitas vezes choramos e questionamos Deus. Como pastor, aprendi que eu e minha família não

> Quando Deus nos tira da sala de espera, com certeza a alegria maior não é a solução do problema, mas ter descoberto o Deus que antes não conhecíamos!

CONCLUSÃO **121**

somos imunes a situações delicadas ou desesperadoras, mas o tempo nas salas de espera tem ensinado a mim e a minha esposa que Deus é totalmente confiável. Temos aprendido que somos vulneráveis à dor das salas de espera, e que não devemos esconder nosso sofrimento, pois ele permite que outras pessoas se tornem instrumentos do consolo de Deus. Por isso, estar com outros nas salas de espera tem sido um aprendizado para mim e para minha esposa, pois cremos que precisamos estar junto de quem passa agora pelo que nós passamos, seja encorajando, seja recebendo encorajamento.

Você está na sala de espera? Então creia que Deus fará o mesmo em sua vida, levando-o do desespero à esperança, conduzindo-o a lugares altos no relacionamento com ele. Você não está sozinho em sua sala de espera. Na verdade, está em uma *sala de esperança*.

> Você não está sozinho em sua sala de espera. Na verdade, está em uma *sala de esperança*.

O relógio pode estar parado, o ar condicionado quebrado e o silêncio ser ensurdecedor, mas é nesse lugar que Deus está e, com voz serena, paternal e cheia de amor, nos sussurra: "Nunca o abandonarei. Pode confiar".

Notas

INTRODUÇÃO

[1] Pouco se sabe da história do profeta Habacuque. Tendo em vista que sua mensagem é dada no contexto da invasão babilônia, é certo que ele viu as reformas espirituais promovidas pelo rei Josias e testemunhou a derrocada moral, política e espiritual da nação de Judá, sob o reinado de Jeoaquim. Isso ocorreu em torno dos anos 609 a 598 a.C. Habacuque foi contemporâneo do profeta Jeremias e de Naum e Sofonias, que também testemunharam a decadência de Judá.

CAPÍTULO 1

[1] A palavra usada por Habacuque dá a ideia de distância ou perpetuidade, isto é, de algo que permanece infinitamente inalterado. Ver entrada 1565 em R. L. HARRIS, G. L. ARCHER JR. e B. K. WALTKE (orgs.), *Theological Wordbook of the Old Testament*, p. 645.

[2] O significado do verbo "clamar" na Bíblia sempre traz a ideia de um pedido de socorro em tempos de desespero e desolação. Ver entrada 570 em R. L. HARRIS, G. L. ARCHER JR., & B. K. WALTKE (orgs.), *Theological Wordbook of the Old Testament*, p. 248.

[3] Habacuque usa a a palavra *pûg*, que tem o sentido de paralisação, cansaço, desgaste, incapacidade de funcionar normalmente ou mesmo fraqueza física.

[4] Deus descreve os babilônios como aqueles que "conquistam outras terras". Essa expressão também pode ser traduzida como aqueles que "assaltam" ou "tomam casas que não são suas". Essa perspectiva aumentava a pressão sobre o profeta. A casa e a terra eram os elementos materiais mais valiosos para o povo, pois representavam o fruto da aliança de Deus com Abraão, Isaque e Jacó.

Ver K. L. Barker. Micah, Nahum, Habakkuk, Zephaniah, vol. 20, p. 299-300.

[5] Ver a palavra grega *parresia* em Little Kittel, p. 871-876. Há uma forte conotação de completa transparência diante de um juiz, uma confiança inabalável, uma coragem para ser e falar. Ver também H. Schlier, G. Kittel, G. W. Bromiley e G. Friedrich (orgs.), *Theological Dictionary of the New Testament*, p. 884.

[6] A palavra "rocha", usada por Habacuque, tem a conotação de segurança e refúgio quando se refere a Deus, como em Salmos 89.26 e em Deuteronômio 32.15. J. E. Hartley. Entrada 1901. R. L. Harris, G. L. Archer Jr. e B. K. Waltke (orgs.), *Theological Wordbook of the Old Testament*, p. 762.

[7] John Piper. "Não desperdice seu câncer".

Capítulo 2

[1] Larry Crabb, *When God's Way Does Not Make Sense*, p. 33.

[2] P. 15.

[3] P. 59.

[4] *Confiando em Deus*, p. 117.

[5] A palavra usada por Marcos (*sozo*) carrega o duplo sentido de cura física e salvação espiritual. Isso é confirmado pelo contexto, uma vez que o evangelista registra que Bartimeu passou a seguir Jesus (10.52).

[6] Texto em que Deus promete estabelecer o trono de Davi para sempre. Dessa afirmação se entende que o Messias viria da descendência de Davi, o que de fato aconteceu.

Capítulo 3

[1] O verbo *sāpâ* carrega a ideia de estar completamente alerta para uma situação ou não ser tomado de surpresa. Ver TWOT, entrada 1950. Também ver DBL Hebrew, entrada 7595, Logos Bible Software.

[2] *Minha fraqueza pelo seu poder*.

[3] P. 1112.

[4] J. P. Louw. e E. A. Nida. *Greek-English Lexicon of the New Testament: Based on Semantic Domains*.

[5] O verbo usado por Habacuque, no hebraico, carrega fortemente a ideia de "ficar firme", "ir contra", "não desistir", "tomar uma

posição". W. Gesenius. e S. P. Tregelles, *Gesenius' Hebrew and Chaldee Lexicon to the Old Testament Scriptures*, p. 360.
[6] São Paulo: Mundo Cristão, 2016.

Capítulo 4
[1] P. 15.
[2] Cf. Êxodo 16.7,10; 24.17, em que a presença de Deus também carrega a ideia de poder e julgamento.

Capítulo 5
[1] *When God's Way Does Not Make Sense*, p. 248.
[2] *Confiança inabalável*, p. 13.
[3] O verbo usado por Habacuque carrega a ideia de descansar, sentar, colocar-se à vontade e, até mesmo, suspirar depois de um tempo de descanso. TWOT, entrada 1323, Logos Bible Software.
[4] Cf. Êxodo 5.3; 9.15; Levítico 26.25; Números 14.12; Deuteronômio 28.21; 32:24; 2Samuel 24.15; Jeremias 14.12.

Conclusão
[1] *Deer Anatomy — Legs/Feet*. Disponível em: <www.huntingnet.com>. Acesso em: 13 de dez. de 2018.
[2] 2Coríntios 1.3-4.
[3] P. 29.

Referências bibliográficas

ARMERDING, C. E. "Habakkuk". In F. E. GAEBELEIN (org.), *The Expositor's Bible Commentary: Daniel and the Minor Prophets*. Vol. 7. Grand Rapids: Zondervan Publishing House, 1986.

ASSIS, Helder. *Aprendendo com a corça*. Disponível em: <https://estudos.gospelmais.com.br/aprendendo-com-a-corca.html>. Acesso em: 14 de dez. de 2018.

BARCLAY, William. *O segredo do contentamento*. São Paulo: Nutra Publicações, 2015.

Bíblia Sagrada Na Jornada com Cristo. São Paulo: Mundo Cristão, 2018.

Bíblia Sagrada Tradução King James Atualizada, Edição de Estudo 400 anos. São Paulo: Abba Press e Sociedade Bíblica Ibero-Americana, 2002.

BRANNAN, R. e LOKEN, I. *The Lexham Textual Notes on the Bible* (Ruth 4.5). Bellingham, WA: Lexham Press, Logos Bible Software, 2014.

BRIDGES, Jerry. *Confiando em Deus*. São Paulo: Nutra Publicações, 2015.

_____. *Deus está mesmo no controle?* São Paulo: Vida Nova, 2018.

BROMILEY, G. W.; FRIEDRICH, G. e KITTEL, G. (orgs.). *Theological Dictionary of the New Testament*. Grand Rapids: Eerdmans, Logos Bible Software, 1964.

CASSEL, P.; LANGE, J. P.; SCHAFF, P. e STEENSTRA, P. H. *A Commentary on the Holy Scriptures: Ruth*. Bellingham: Zondervan, edição eletrônica, Logos Bible Software, 2008.

CRABB, Larry. *When God's Way Does Not Make Sense*. Grand Rapids: Baker Books, 2018.

FITZPATRICK, Elyse. *Ídolos do coração*. São Paulo: Vida Nova, 2017.

126 A SALA DE ESPERA DE DEUS

Gesenius, W. e Tregelles, S. P. *Gesenius' Hebrew and Chaldee Lexicon to the Old Testament Scriptures*. Bellingham: Zondervan, Logos Bible Software, 2003.

Keller, Timothy. *Deuses falsos*. Rio de Janeiro: Thomas Nelson Brasil, 2009.

Kennedy, James. *Verdades que transformam*. São José dos Campos: Fiel, 2005.

Kent, H. A. *Philippians*. In: Gaebelein, F. E. (org.). *The Expositor's Bible Commentary*. Grand Rapids: Zondervan, 1986.

Lenski, R. C. H. *The Interpretation of St. Paul's First and Second Epistle to the Corinthians*. Minneapolis: Augsburg Publishing House, 1963.

Louw, J. P. e Nida, E. A. *Greek-English Lexicon of the New Testament: Based on Semantic Domains*. Nova York: United Bible Societies, Logos Bible Software, 1996.

O'Brien, P. T. *The Epistle to the Philippians: A Commentary on the Greek Text*. Grand Rapids: Eerdmans, Logos Bible Software, 1991.

Piper, John. *Não desperdice seu câncer*. Disponível em: <http://www.monergismo.com/textos/sofrimento/desperdice_cancer_piper.htm>. Acesso em: 14 de dez. de 2018.

Reed, J. W. *Ruth*. In: Walvoord, J. F. e Zuck, R. B. (orgs.). *The Bible Knowledge Commentary: An Exposition of the Scriptures*. Vol. 1. Wheaton: Victor Books, 1985.

Sayão, Luiz. *O problema do mal no Antigo Testamento: O caso de Habacuque*. São Paulo: Hagnos, 2005.

Swanson, J. *Dictionary of Biblical Languages with Semantic Domains: Hebrew (Old Testament)*. Bellingham: Logos Research Systems, edição eletrônica, Logos Bible Software, 1997.

Wells, Mike. *Minha fraqueza pelo seu poder*. São Paulo: Abba Press, 2012.

Zágari, Maurício. *Confiança inabalável*. São Paulo: Mundo Cristão, 2016.

Sobre o autor

Lisânias Moura é pastor sênior da Igreja Batista do Morumbi, em São Paulo (SP), onde tem servido pastoralmente desde 1993. Pastor sênior desde 2004, é o responsável pelo desenvolvimento da visão da igreja, pela pregação e pela liderança do presbitério, além do exercício pessoal do ministério pastoral. É bacharel em Ministério Pastoral e Mestre em Teologia pelo Seminário Teológico da Dallas (EUA). Antes de assumir seu ministério pastoral na Igreja Batista do Morumbi, Lisânias foi professor por quatorze anos do Seminário Bíblico Palavra da Vida. É autor da obra *Cristão homoafetivo?* (Mundo Cristão). Casado com Teca, é pai de Daniel e Rafael.

Compartilhe suas impressões de leitura,
mencionando o título da obra, pelo e-mail
opiniao-do-leitor@mundocristao.com.br
ou por nossas redes sociais

Esta obra foi composta com tipografia Palatino e impressa
em papel Pólen Natural 70 g/m² na gráfica Assahi